HAROLD H. BLOOMFIELD CON LEONARD FELDER

HACER LAS PACES CON LOS PADRES

Traducción
CARMEN BORDEU DE SMITH ESTRADA

HAROLD H. BLOOMFIELD
CON LEONARD FELDER

HACER LAS PACES
CON LOS PADRES

EMECÉ EDITORES

Diseño de tapa: *Eduardo Ruiz*

Título original: *Making Peace with your Parents*

Copyright © *1983 by Bloomfield Productions, Inc.*

Todos los derechos reservados
Esta traducción se publica mediante convenio con Random House, Inc.

© *Emecé Editores, S.A, 1991*
Alsina 2062 - Buenos Aires, Argentina

Primera edición en offset: 3.000 ejemplares.

Impreso en Compañía Impresora Argentina S.A., Alsina 2041/49,
Buenos Aires, abril de 1991.

IMPRESO EN LA ARGENTINA - PRINTED IN ARGENTINA
Queda hecho el depósito que previene la ley 11.723.

I.S.B.N.: 950-04-1058-3
23.409

A mi muy querida esposa, Sirah,
a mi hija, Shazara,
a mi madre, Fridl, a mi difunto padre, Max,
a mi hermana, Nora,
y a todos los hijos y padres de todas partes que
quieran compartir más paz y amor.

Nota del autor

A fin de proteger la reserva debida, los nombres y detalles identificatorios de los casos que figuran en el libro han sido cambiados. Todo parecido con personas vivas o muertas es pura coincidencia. Ninguna persona con antecedentes de desorden psiquiátrico o que se sienta emocionalmente inestable o que esté tomando fuertes tranquilizantes o antidepresivos debe realizar los ejercicios de este libro sin consultar previamente a un profesional de salud mental.

AGRADECIMIENTOS

Deseo agradecer a todos aquellos que me proporcionaron ideas e inspiración, en particular a Werner Erhard, Elisabeth Kubler-Ross, Arnold Lazarus, Maharishi Mahesh Yogi, Abraham Maslow, Carl Rogers y mis pacientes del North County Holistic Health Center en Del Mar, California.

También agradezco a Mary Ellen Bayer, Truen Bergen, Adelaide Bry, Terry Cole-Whittaker, Carolyn Crowne, Lyn Davis, Ken y Karen Druck, Warren Farrell, Jan Fillmore, Mike y Donna Fletcher, Robert Kory, Linda Lawson y Tracy Weston, Patricia McDonough, Barnett Meltzer, Kenneth Miller, Barbara Nussbaum, Al Pesso, Jennifer Polito, Peter Reiss, Ali y Sybil Rubottom, Janice y Craig Ruff, Linda Seger, Gay Swenson y Chris y Carolyn Tesari.

Por su asesoramiento y sugerencias agradezco especialmente a William y Anita Fitelson, Marc Jaffe y Lucy Kroll. Un reconocimiento especial a Charlotte Mayerson por su inteligencia, buen gusto y cálida amistad puestos de manifiesto en la compaginación y revisión de este libro.

Leonard desea agradecer a Linda Schorin, Martin y

Ena Felder, Jesse Bayer y Helen Rothenberg Felder por su apoyo y aliento.

Yo deseo expresar mi amor y profundo aprecio por mi esposa, Sirah Vettese, por su devoción, contribuciones a este libro, y por ayudarme a hacer las paces con mis padres.

1

UN DESAFÍO PERSONAL

En el otoño de 1978, en mitad de una gira nacional para promocionar uno de mis libros, recibí una llamada de larga distancia de mi madre.

—Tienes que venir a casa —me dijo llorando—. Tu padre está en el hospital. Es por el cáncer. Lo operarán de urgencia.

Tomé el primer avión a Nueva York. La idea de que mi padre podía morir me aterrorizaba, no sólo porque lo quería mucho, sino porque aún quedaban muchas cosas pendientes entre nosotros. Era mi padre, pero yo sentía que casi no lo conocía como persona. En cierta medida creía que era mi culpa que hubiera contraído cáncer; que de no haber permanecido tanto tiempo lejos de mi familia, quizá podría haber hecho más por él.

Hasta esa llamada telefónica, había pensado que tenía "resuelta" la relación con mis padres. Viviendo a casi cinco mil kilómetros de distancia, almorzaba o cenaba ocasionalmente con ellos cuando alguna conferencia, gira o asunto de negocios me llevaban a Nueva York. Siempre me aseguraba de limitar los encuentros a una hora o dos. Reprimiendo con intensidad los sentimientos contradictorios hacia mis padres, lograba evitar una confrontación directa durante nuestras tensas conversaciones. Aunque apenas disfrutábamos de las visitas y las habituales llamadas telefónicas semanales, todos cuidábamos la apariencia de una familia afectuosa.

Durante gran parte de mi vida, había considerado a mi padre una víctima y sentido pena por todas sus frustraciones. Él solía quejarse de que su trabajo no le satisfacía ni le retribuía en forma adecuada. En casa, mis padres pasaban la mayor parte del tiempo discutiendo o inmersos en un silencio hostil; era tanta la tensión que recuerdo haber pensado de niño: "Dios, haz que sobreviva a este momento y más tarde me sobrepondré". Aunque amaba a mi padre, me irritaba que nunca escapara de su monótona rutina. Después de bregar toda la vida, a los sesenta y cinco años afrontaba una decisión desesperada... trabajar hasta caerse muerto o retirarse para pasar las veinticuatro horas del día con mi madre.

Durante el vuelo a Nueva York para ver a mi padre en el hospital, comprendí que uno no llega al cielo solo... lleva a la familia consigo. Me di cuenta de que tenía la oportunidad de hacer que esa visita fuera diferente de las demás. Aunque sabía que podía fingir llevándole flores a mi padre y conteniendo mis sentimientos como siempre, decidí restablecer la intimidad con mi padre y mi madre. Ya no deseaba mantenerme a una distancia prudente. Luego de años de resentir las reuniones obligatorias con ellos y de culparlos por lo penosas que eran, esta vez me haría responsable del resultado de esa visita. Nunca antes había considerado mi instrucción en la facultad de medicina y en los seminarios de psiquiatría y de potencial humano como un vehículo para relacionarme con mis propios padres; sin embargo, era evidente que Dios o la naturaleza me decían: "Bien, Bloomfield, veamos cuánto has aprendido realmente".

Doscientos abrazos después...

Mi padre yacía conectado a monitores y tubos intravenosos en la unidad de terapia intensiva del hospital. Tenía la piel cetrina, y aunque era normalmente de buena complexión, había perdido más de trece kilos.

La enfermedad de mi padre había sido diagnosticada como cáncer de páncreas, una de las manifestaciones más virulentas de ese mal. Los médicos hacían cuanto podían, pero nos dijeron que le quedaban de tres a seis meses de vida. El cáncer de páncreas no respondía a la terapia de radiación ni a la quimioterapia, de modo que había muy poca esperanza.

Un par de días después, cuando mi padre ya se sentaba en la cama, me acerqué a él y le dije:

—Estoy muy afectado por lo que te pasó, papá. Me ha hecho pensar en lo alejados que hemos estado y darme cuenta de cuánto te quiero.

Me incliné y empecé a abrazarlo, pero sus hombros y brazos se pusieron tensos.

"Vamos, papá, tengo ganas de abrazarte.

Por un momento, pareció confundido. Demostrar afecto no era nuestra forma habitual de relacionarnos. Le pedí que se enderezara un poco más para poder rodearlo con mis brazos. Luego, intenté de nuevo. Esta vez, sin embargo, se puso todavía más tenso. Sentí el resentimiento brotar en mi interior y estuve tentado de decir algo como: "No *necesito* esto. Si quieres tratarme con la misma frialdad de siempre, adelante, hazlo."

Durante años me había aferrado a cada instancia de resistencia y rigidez de mi padre para culparlo, enfadarme con él y decirme: "¿Ves? No le importa". En esta ocasión, no obstante, reflexioné y comprendí que el abrazo era también en *mi* beneficio, no sólo en el de mi padre. Deseaba demostrarle cuánto me importaba, aunque a él le costara tanto permitírmelo. Él siempre había sido muy germánico y disciplinado; seguramente sus padres le habían enseñado de niño que debía sofocar sus sentimientos para llegar a ser un hombre.

Al liberar el deseo largamente contenido de culpar a mi padre por la distancia entre nosotros, ahora ansiaba el desafío de darle más amor.

—Vamos, papá —dije—, pon tus brazos alrededor de mí.

Me apoyé contra él mientras lo hacía.

"Ahora abrázame. Eso es. Otra vez. ¡Excelente!

En cierto modo, estaba enseñando a mi padre cómo abrazar, y mientras él me estrechaba, algo sucedió. Por un instante, un "te quiero" se escurrió entre nosotros. Durante años, nuestro saludo se había limitado a un apretón de manos frío y formal y un "Hola, ¿qué tal?"; ahora ambos anhelábamos que esa momentánea proximidad se repitiera. Sin embargo, en el momento en que él comenzaba a disfrutar del contacto, algo se ponía rígido en su torso superior y

18

nuestro abrazo se volvía torpe y frío. Le llevó meses librarse de esa rigidez y permitir que sus emociones se abrieran paso a través de sus brazos para estrecharme.

Tuve que tomar la iniciativa muchas, muchas veces antes de que mi padre iniciara un abrazo por su cuenta. No lo culpaba; después de todo estaba modificando hábitos de toda una vida... y eso lleva tiempo. Yo sabía que estábamos teniendo éxito porque nos íbamos acercando cada vez más, guiados por la solicitud y el cariño. Alrededor del abrazo número doscientos, por primera vez desde que tengo memoria, mi padre dijo en voz alta: "Te quiero".

Tiempo de reconciliación

El cáncer de mi padre se convirtió en una oportunidad para que mi familia creciera y cambiara. Me descubrí a mí mismo practicando la compasión y comprensión que había estado enseñando a mis pacientes. Con mi ayuda, mi madre y mi padre comenzaron a resolver los resentimientos ocultos y la distancia emocional que se habían acumulado entre ellos durante mucho tiempo. Mi hermana mayor y yo participamos en reuniones familiares durante las cuales compartimos nuestros sentimientos más honesta y cariñosamente que nunca.

Desde que yo había estudiado para ser maestro de Meditación Trascendental (MT), papá desechó mi gran interés en la meditación calificándola de "extraña" y "poco práctica". Ahora, como si de pronto hubiera escuchado mi punto de vista por primera vez, se inscribió en el curso básico de MT, y al poco tiempo ya meditaba dos veces por día. También le enseñé la técnica de visualización prescripta por el doctor Simonton,* durante la cual mi padre imaginaba sus glóbulos blancos yendo hacia las células cancerosas y devorándolas, movilizando aparentemente las defensas de su cuerpo contra la enfermedad. Además de recurrir a las técnicas de reducción de estrés y visualización, mi padre comenzó a mejorar su estado mediante una dieta, ejercicios físicos y planificando viajes con mi madre.

La reconciliación y el crecimiento de mi familia significó que cada uno se deshizo de un montón de resentimientos acumulados, ira y amor reprimidos. En consecuencia, mi padre abandonó su papel de víctima o mártir. En vez de culpar a mi madre por su cáncer diciendo, como alguna vez lo hizo, "Tú me lo provocaste... es tu culpa", recuperó vigorosamente su voluntad de vivir. Él y mi madre empezaron a gozar de la vida como nunca antes.

Cuando mis padres vinieron a mi casa cerca de San Diego a pasar tres semanas increíbles conmigo y con Sirah, mi futura esposa, sentí que papá era mi más viejo y querido amigo.

Sirah y yo le dimos mucho amor y él nos respondió de igual manera. La tensión desapareció; el tiempo que pasamos juntos fue íntimo y afectuoso. Todos sabíamos que sería su última visita a mi casa, sin embargo, sentíamos una tremenda gratitud. Los

* Para más información sobre la visualización como complemento de la terapia de cáncer, ver Carl Simonton et al., *Getting Well Again: A Step-by-Step Help Guide to Overcoming Cancer for Patients and Their Families* (Los Angeles: Tarcher, 1978).

médicos habían predicho de tres a seis meses; mi padre había sobrevivido al cáncer en excelente estado durante *cuatro años*.

Una noche, después de cenar afuera con mis padres, papá se sentó en la bañadera con agua caliente mientras yo le masajeaba el cuello y los hombros. Parecía derretirse bajo la presión de mis dedos sobre sus músculos. Ya no erigíamos defensas alrededor de nosotros y, por primera vez, tuvimos la sensación de ser uno.

Mis padres, Sirah y yo nos habíamos convertido por fin en la familia unida que siempre habíamos fingido ser. Después de festejar un Día del Padre muy especial, mamá y papá regresaron a Nueva York, donde mi padre murió unas semanas después. Habiendo alcanzado una vida plena y mejorado la relación con su esposa y sus hijos, murió en estado de gracia.

Esos cuatro años de paz con mis padres influyeron muchísimo en mi vida. Ser testigo de la buena relación entre ellos me hizo dejar de considerar el matrimonio como una prisión. Con un nuevo y estimulante modelo de amor y compromiso en mi mente, pude desprenderme de mis temores y resistencia al matrimonio. Al sanar mis resentimientos y compartir más amor con mis padres, también adquirí paz interior.

El precio que pagamos

Si nunca hubiera experimentado realmente el amor de mis padres, habría perdido una tremenda oportunidad. Decidí escribir *Hacer las paces con los padres* porque comprendí el doloroso precio que cada uno de nosotros paga por tener una relación incompleta y tensa con nuestros padres. No importa cómo tratemos de explicar racionalmente nuestra distancia y resentimientos, o que pensemos que tenemos la relación "resuelta", existen heridas emocionales e incluso problemas físicos que nos afectan como consecuencia de las cuestiones inconclusas con nuestros padres.

Durante un largo tiempo, pensé que la única forma de relacionarme con ellos era manteniendo altas mis defensas. Cuando me ofrecían un consejo no pedido durante nuestras conversaciones telefónicas, me limitaba a simular que escuchaba. Cuando los visitaba, me decía a mí mismo que debía contentarme con sacar el mayor provecho de una situación difícil. Aunque en otras áreas de mi vida me desempeñaba como un adulto competente, cuando estaba con mi madre y mi padre todavía tenía el punto de vista de un niño indefenso, de una víctima. Creía que la relación era responsabilidad de ellos, no mía.

Debajo de la coraza protectora en la que me refugiaba siempre que nos veíamos, existían sentimientos contradictorios que me desgarraban. Amaba a mis padres y al mismo tiempo no los toleraba. Me sentía culpable y temía acabar pareciéndome a ellos o que mis relaciones amorosas me recordaran su amargo matrimonio.

Lo peor era nuestra incapacidad para comunicarnos. Simulábamos ser afectuosos el uno con el otro, sin embargo, no podíamos demostrar ni sentir esa emoción debido a resentimientos ocultos. En mi fa-

22

milia era inaceptable expresar enojo y demasiado riesgoso manifestar cariño. A lo largo de todos esos años, el amor entre nosotros permaneció callado y a menudo inadvertido. Luego mi padre contrajo cáncer y fue casi demasiado tarde.

Como psiquiatra y codirector de un centro de salud, veo incontables casos de personas con problemas emocionales, profesionales, de relación e incluso físicos que pueden comprenderse y mitigarse solamente rastreando en profundidad los conflictos no resueltos con los padres. Muchas de las dificultades actuales que las personas tienen con sus cónyuges, amantes, ex amantes, jefes, parejas o hijos son en parte repeticiones emocionales de sentimientos reprimidos y almacenados de incidentes de la infancia. Los mismos conflictos sin resolver que tenían con sus padres siempre parecen reaparecer "misteriosamente" para afectar sus relaciones adultas.

Por ejemplo, Karl es un paciente mío que llegó a nuestra clínica quejándose de intensos dolores de espalda. A veces permanecía una semana en cama después de que sus músculos se contraían en un espasmo. Aunque Karl no había hablado con su padre durante más de diez años, pronto descubrimos que sus arrebatos de cólera dirigidos a su esposa, sus hijos adolescentes y su jefe se originaban en los sentimientos no resueltos de ira y frustración que nunca había expresado a su padre severo y disciplinario. El profundo resentimiento que Karl había estado albergando por años contribuía a los conflictos físicos e interpersonales que estaba teniendo.

En forma similar, Deborah vino a la clínica para tratar de resolver sus problemas con los hombres.

Se lamentaba de "que siempre descubro que me atrae el tipo de hombre en quien no puedo confiar". Divorciada una vez y madre de una niña de diez años, Deborah quería modificar su esquema de relaciones efímeras y frustrantes.

Cuando le pregunté cómo era la relación de sus padres, Deborah describió el modo en que su madre, una mujer inteligente que había abandonado una universidad prestigiosa para casarse, se sacrificaba por un hombre "que nunca vivió de acuerdo con sus potencialidades". Cuando Deborah empezó a salir con chicos en la secundaria, su madre le advirtió: "No te conformes con alguien como tu padre". Ahora Deborah comprendía lo mucho que el conflicto entre sus padres todavía afectaba sus relaciones con los hombres.

Al margen del status social o económico, nadie parece inmune a los efectos complejos y perjudiciales de un conflicto no resuelto con los propios padres. Uno de mis más íntimos amigos es un conocido médico de cuarenta y ocho años que vive en Minnesota. Trabajador, innovador, amante de la diversión y hombre de familia con esposa y cuatro hijos crecidos, siempre me ha impresionado por su vitalidad. No obstante, la última vez que me visitó, mientras nos duchábamos después de un partido de basquetbol, advertí una gran erupción de eczema (una afección irritante de la piel) en toda su espalda y los hombros.

—¿Cómo contrajiste eso? —pregunté a mi amigo.

Algo avergonzado, rió y contestó:

—Mi madre vino a visitarme por dos semanas. Siempre me broto así cuando ella viene a Minneapolis.

A pesar de que parecía "tener su vida bajo control", este médico distinguido padecía una afección eruptiva aparentemente debido a tensiones no resueltas con su madre. Cuando le hablé de *Hacer las paces con los padres*, sonrió y dijo:

—¡Me llevaré dos ejemplares y te llamaré mañana por la mañana! —Luego se puso serio y admitió: —Es curioso lo de los padres. Me he pasado años tratando de ignorar mis sentimientos contradictorios hacia mi madre. —Señalando el eczema en su espalda, añadió: —Pero es difícil ignorar este tipo de reacción física.

¿Por qué esperar?

No tiene que esperar una crisis en la que usted esté enfermo o uno de sus padres se encuentre al borde de la muerte para hacer las paces con ellos. Existen razones urgentes para comenzar ya mismo. Ya sea que tenga doce u ochenta y dos años, usted puede estar acarreando muchas de las presiones y conflictos no resueltos de esa relación fundamental, la que tiene (o tuvo) con sus padres. Estas emociones intensas y reprimidas desempeñan un papel importante en la determinación de su salud y felicidad diarias.

Para evaluar cuánto puede usted beneficiarse con *Hacer las paces con los padres*, considere las siguientes preguntas:

1. ¿Alberga aún pesares y resentimientos de su infancia?

2. ¿Se siente bien y relajado cuando está con sus padres?
3. ¿Puede reconocer en un enojo presente el resultado de un resentimiento o herida no resueltos de su infancia?
4. ¿Confía en sus padres?
5. ¿Le gusta hablar por teléfono con sus padres?
6. ¿Confía en su capacidad y deseo de ser un buen progenitor?
7. ¿Puede perdonar a sus padres sin intentar cambiarlos?
8. ¿Se siente a gusto cuidando a su(s) padre(s) anciano(s)?
9. ¿Puede aceptar la realidad de la muerte de uno de sus padres?
10. ¿Le alegra haber tenido los padres que tuvo?
11. ¿Se siente amado y aceptado por sus padres?
12. ¿Ha resuelto sus sentimientos contradictorios con respecto al divorcio de sus padres?
13. ¿Ha elaborado con éxito el resentimiento y las quejas hacia su padre o madre muertos?

Por cada vez que no haya respondido un "Sí" rápido y honesto habrá una parte de *Hacer las paces con los padres* para asistirlo. Este libro incluye el discernimiento psicológico y las estrategias prácticas para ayudarlo a comprender su relación con sus padres, aliviar las emociones dolorosas en su interior y reconstruir una relación saludable con su madre y su padre.

Además de ayudarlo a hacer las paces con sus padres, las apreciaciones y ejercicios en este libro están dirigidos a una serie de cuestiones críticas indirectamente afectadas por su relación con sus padres. Experimentar hacia ellos sentimientos contradictorios y sin resolver puede afectar su salud y bienestar, su satisfacción con su profesión, trabajo y tiempo libre, y sus relaciones emocionales más importantes. Cada día del año se separan matrimonios y parejas, en parte porque uno o ambos integrantes se halla atormentado por heridas y conflictos no resueltos en la relación con sus padres. Como hemos visto, las extensas luchas con ex amantes, parientes políticos, jefes, hijos, familiares y amigos tienden a ser repeticiones emocionales de antiguos conflictos parentales.

Para empezar a comprender el grado en que la relación con sus padres influye en su vida diaria y paz interior, responda con franqueza a las siguientes preguntas:

1. ¿Se siente libre de las expectativas y obligaciones de otros?
2. ¿Puede cometer un error sin una autocrítica excesiva?
3. ¿Es capaz de expresar enojo eficazmente, sin volverlo hacia su interior o reaccionar con ira ciega?
4. ¿Es usted hábil para nutrirse emocionalmente y mantenerse económicamente?
5. ¿Se siente a gusto con su sexualidad?
6. ¿Trabaja bien con jefes, maestros, patrones y otras figuras de autoridad?
7. ¿Sufre temores paralizantes de rechazo, desaprobación o abandono?

8. ¿Ha vencido sus temores a ser atrapado por una relación amorosa comprometida o el matrimonio?

9. ¿Se esfuerza en forma excesiva y tiene expectativas poco realistas que lo convierten en un esclavo de su trabajo?

10. ¿Sabe poner límites a las personas que tratan de imponérsele?

11. ¿Discute con su cónyuge o amante sin echar culpas o aferrarse a resentimientos?

12. ¿Se valora y quiere a sí mismo plenamente?

13. ¿Se siente satisfecho con el ambiente en su hogar y su vida familiar?

14. ¿Disfruta siendo responsable de su propia felicidad, emociones y calidad de vida?

Qué esperar

Hacer las paces con los padres no es una panacea instantánea. Es una recopilación de experiencias y apreciaciones de pacientes y participantes de seminarios durante los últimos once años. Combinando mis propias experiencias en la familia con las investigaciones de mis colegas, las historias clínicas de mis pacientes, la literatura del caso y los descubrimientos recientes en psiquiatría, he desarrollado una serie de ejercicios fáciles y habilidades de desarrollo personal que pueden utilizarse eficazmente *al margen de que sus padres vivan o no*. Cada uno de nosotros lleva dentro de sí los recuerdos emocionales de su infancia. Este libro le ayudará a aprender a redescubrir su poder personal para dominar esas emociones complejas y crear la vida adulta afectuosa, alegre y plena que usted desea.

Para alcanzar el éxito en el proceso de hacer las paces con sus padres necesitará persistencia y creatividad. Los casos y situaciones personales en el libro sirven como ejemplos realistas de la variedad de formas en que los pacientes han utilizado estas técnicas, resultando en distintos grados de cambio y desarrollo personal. Estos ejemplos, en los que los nombres han sido alterados para mantener su carácter de confidenciales, son demostrativos de la rapidez con que puede producirse el cambio cuando la intención es real. Muchos miles de personas ya han progresado a grandes pasos en el mejoramiento de su salud, felicidad y relaciones amorosas empleando estas apreciaciones y habilidades.

La clave para el crecimiento personal no reside únicamente en la *toma de conciencia* sino en un *cambio de comportamiento*. En tanto lea lo expuesto y vaya poniendo en práctica los ejercicios, puede esperar adquirir lo siguiente:

- *Una comprensión mucho más profunda de la relación con sus padres durante su infancia y adolescencia.* Esto incluye problemas y conflictos así como sentimientos profundos de amor que usted puede haber reprimido hace años.
- *La habilidad para curar su resentimiento oculto y heridas emocionales.* Estos ejercicios ayudarán a prevenir que malestares pasados reaparezcan "misteriosamente" en sus relaciones actuales.
- *La comprensión y discernimiento necesarios para perdonar a sus padres y aprender a disfrutarlos tal*

como son. Esto no significa olvidar ni sofocar sus sentimientos. Antes bien, se le explicará cómo elaborar su enojo apropiadamente y dejar atrás los juicios y expectativas para redescubrir su capacidad de amar y ser amado por sus padres.

- *Habilidades de comunicación efectivas para ayudarlo a escapar de la frustrante rutina en la que han caído usted y sus padres.* Aprender a expresar enojo y amor eficaz y constructivamente lo ayudará no sólo con sus padres sino con todas sus relaciones.
- *Mecanismos y técnicas especiales para vérselas con padres "difíciles", incluyendo aquellos que son mártires, dictadores o inaccesibles.* Habrá un sinnúmero de ejemplos útiles de pacientes que no sólo vencieron sus diferencias familiares sino que crecieron personalmente durante el proceso de superación de amenazantes situaciones familiares críticas y neuróticas.
- *Una mayor comprensión de las formas en que usted puede haber cohibido su expresión y goce sexual como resultado de su educación.* Se le brindarán métodos efectivos para descifrar los complejos dobles mensajes que los padres dan a sus hijos sobre la sexualidad, así como técnicas para librarse de inhibiciones parentales y acrecentar su satisfacción sexual.
- *Una toma de conciencia de los modos en que los conflictos conyugales se relacionan a menudo con problemas no resueltos con los padres.* Se le proporcionarán técnicas para ayudarlo a suprimir temores a la intimidad y patrones familiares negativos que usted puede estar repitiendo en sus relaciones amorosas.
- *Formas de elaborar eficazmente la muerte de uno de los padres.* La pérdida de un padre o una madre

resulta devastadora y, sin embargo, puede significar un período de crecimiento y maduración profundos. Descubrirá cómo la elaboración de la muerte de un progenitor puede contribuir a su crecimiento personal.

- *Habilidades parentales para convertirse en un padre o una madre mejor y más afectuoso.* Los problemas con nuestros hijos a menudo se relacionan con problemas que tuvimos con nuestros padres. Estrategias específicas lo ayudarán a convertirse en el padre o la madre que siempre quiso ser.

Para hacer las paces con sus padres, tendrá que desistir de muchas cosas. Deberá hacer a un lado el resentimiento, el fastidio, el deseo de castigar y la necesidad de inculpar. Tendrá que renunciar a hacer frente a sus padres e incluso estar preparado para ocasiones en que parezca que ellos ganan y usted pierde. Deberá aprender a admirar y respetar a un padre o una madre por quien ahora quizá sienta cierto desprecio o aversión. De hecho, tendrá que aprender a aceptar a sus padres tal como son en realidad en vez de como usted cree que deben ser.

Tal vez se pregunte: ¿Para qué molestarse? En realidad, el beneficio no es para sus padres, sino para usted. Su paz interior, sus relaciones amorosas y laborales y sus ganas de vivir están en juego. Los medios para producir un cambio en la relación con sus padres... y principalmente en usted mismo... se encuentran ahora a su alcance. Hacer las paces con sus padres constituye un desafío personal que le reportará una enorme y duradera satisfacción.

2

DEL RESENTIMIENTO AL PERDÓN

Como psiquiatra y conductor de seminarios sobre desarrollo personal, he oído miles de relatos acerca de conflictos serios entre individuos y sus padres. Sin embargo, en cada instancia, debajo del enojo y el resentimiento yace una verdad central evidente: *Todos anhelamos profundamente amar y ser amados por nuestros padres.* Queremos liberar el enojo, la hostilidad y el rencor que nos mantiene separados e incapaces de comunicarnos.

No obstante, para componer la relación con sus padres de la vida real, *primero debe hacer las paces con sus padres internos...* los mensajes, sentimientos y conflictos internalizados que usted alberga dentro de su mente. Su cabeza es un depósito de los recuerdos dolorosos y el resentimiento oculto de su infancia... las cosas de sus padres que le hirieron o le hicieron sentir que su supervivencia física o psicológica era amenazada. Hasta que no resuelva ese cúmulo atrasado de resentimientos le será casi imposible lograr una relación satisfactoria y armoniosa con su madre y su padre. En vez de permitirle amar a sus padres y disfrutar de ellos, los resentimientos ocultos lo harán sentirse víctima de las acciones parentales, lo impulsarán a inculpar a sus padres y a repetir los antiguos patrones negativos que le enfadan. No importa cuán nobles sean sus intenciones de amar y ser amado por sus padres, los resentimientos ocultos se entrometerán tarde o temprano.

¿Con qué frecuencia ha dicho o sentido lo siguiente acerca de sus padres?

"Trato de ser amable, pero me irritan a propósito."

"Están muy apegados a sus hábitos. No puedo ni hablarles."

"Claro que los quiero, pero me vuelven loco."

"No pueden aceptar que yo no sea como ellos esperaban."

"De lo único que saben hablar es del pasado, y nunca dejan de recordarme cosas que preferiría olvidar."

Advierta que cada una de estas actitudes da a entender que el conflicto con sus padres es principalmente culpa *de ellos*, responsabilidad *de ellos*. Como si usted fuera una víctima indefensa esperando que *ellos* cambien o se disculpen. ¡No contenga el aliento! Mientras siga esperando que ellos den el primer paso, usted continuará atormentado por los resentimientos ocultos en su interior. Esto es especialmente cierto en el caso de aquellos cuyos padres han muerto. Por más que desee creer que ya no tiene que vérselas con un padre o madre difunto, sus sentimientos hacia ese progenitor viven intensamente en su mente.

Resentimientos ocultos

El resentimiento es un sentimiento de pesar o enojo porque alguien amenaza su supervivencia. Por supervivencia me refiero no sólo a su existencia física, sino a la "supervivencia" emocional de su autoconcepto: sus opiniones, sentimientos o las cosas que usted identifica con usted mismo. Durante su infancia, hubo momentos en que sus padres, por cualquiera que fuera el motivo, lo hicieron sentir menospreciado, ignorado, abandonado, manipulado o de otro modo agredido psicológicamente. Todos tenemos un cúmulo de estos recuerdos penosos que nos limitan y reducen nuestra vitalidad. La cuestión es qué hacer con ellos.

Por desgracia, los resentimientos hacia los padres nunca están bien enterrados en el pasado. Son como diminutos abscesos emocionales... receptáculos de sentimientos ponzoñosos que jamás desaparecen. La mayor parte del tiempo, su mente no recuerda resentimientos pasados. Sin embargo, de tanto en tanto, se quiebra el proceso que Freud describió como "represión". Usted podría tener un sueño atemorizante u hostil. O una discusión que le despierte sentimientos de enojo reprimidos hacia su padre o su madre. Podría descubrir que, cuando está enfermo y necesita que otros lo cuiden, de pronto resurgen antiguos resentimientos y temores. Aunque el incidente con sus padres permanezca oculto en su subconsciente, usted volverá a experimentar el sentimiento ponzoñoso asociado.

Dado que, en cierta medida, las personas y situaciones en su vida presente se parecerán a personas y situaciones de su pasado, los recuerdos angustiantes se reactivarán continuamente. Al margen de que estas similitudes con sus padres sean o no precisas, los resentimientos pasados pueden ejercer en forma subconsciente un control total sobre sus sentimientos, pensamientos, actitudes y comportamiento actuales. La realidad psicológica es que aferrarse a los antiguos resentimientos hacia nuestros padres nos despoja de nuestra paz interior actual y de la capacidad para experimentar satisfacción en nuestras relaciones presentes.

Cuando su cónyuge o amante le dice algo insignificante que por casualidad le recuerda el constante regaño de sus padres, usted mismo se sorprende de la intensidad de su reacción emocional airada y llena de culpa. Cuando su jefe o socio actúa de manera autoritaria, antiguos resentimientos hacia sus padres pueden inducirlo a responder con una increpación impropia. Cuando sus hijos o los hijos de otros le exigen cosas de las que usted careció de niño, sus resentimientos pueden inhibir el deseo de satisfacer de buen grado esas necesidades.

Estos resentimientos ocultos poseen el poder de volver su vida desdichada y, generalmente, no desaparecen por sí solos. Cada vez que los resentimientos pasados se reactivan en el presente, su mente y su cuerpo se exponen a síntomas perjudiciales de estrés, tanto físicos como emocionales. Su mente se nublará, sus músculos se tensarán, su corazón se acelerará y le subirá la presión arterial. Aunque probablemente asumirá que sus sentimientos de ansiedad son producto directo del incidente del momento, de hecho la estresante reacción se relaciona con conflictos con sus padres no resueltos.

Este capítulo le expondrá una serie de técnicas útiles para hacer las paces con sus padres internos. Como resultado, usted podrá comprender y manejar mejor los sentimientos hacia sus padres reales (ya sea que vivan o no). Además de sanear la relación con su padre y su madre, el capítulo le explicará cómo dejar de desahogar sus resentimientos parentales en su cónyuge o amante, jefe o socio, hijos o hermanos, así como en usted mismo.

Orígenes de los resentimientos ocultos

Los sentimientos dolorosos y conflictos sin resolver pueden permanecer "embutidos" en su subconsciente durante muchos años. Que usted sepa, han desaparecido; quizá rara vez, o nunca, sea consciente de qué incidentes o sentimientos penosos de su infancia afectan su experiencia diaria. Eventualmente, sin embargo, el estrés crónico de heridas emocionales no resueltas puede contribuir a problemas serios de salud (como cáncer, úlceras, hipertensión y afecciones cardíacas), conflictos laborales y profesionales, problemas conyugales y una reducción de la vitalidad.

Puede presumir que los resentimientos ocultos están fermentando en su interior si:

- Siente ganas de desquitarse con su jefe o de regañarlo.
- A veces pierde los estribos por algo insignificante y dice cosas de las que después se arrepiente.

- Incurre en constantes discusiones, altercados, luchas por el control y sentimientos de desconfianza con su cónyuge o pareja.
- Se siente excluido, ignorado, tenido a menos o desvalorizado en su casa o el trabajo.
- Padece frecuentes jaquecas, dolores de cuello, espalda, estomacales u otros dolores y molestias corporales.
- Tiene problemas de peso o se abandona a la comida cuando está emocionalmente alterado.
- Le espanta tener que llamar, escribir o visitar a sus padres.
- Aún se compara o compite con uno de sus hermanos o hermanas.
- Se burla de o hace comentarios rencorosos sobre aquellos que ama.
- A menudo se siente desilusionado de su familia, trabajo, el mundo, la vida, Dios, otras personas o resentido con ellos.
- Siente que sus padres nunca le demostraron su amor.
- Trata de que los demás se compadezcan de usted.
- Siente que a menudo reprime su enojo hacia su cónyuge, pareja, familia, amigos o hijos.
- Se siente restringido para expresar amor hacia su cónyuge y familia.

El próximo paso

Una vez que usted toma conciencia de estar albergando resentimientos ocultos, el próximo paso es elaborarlos y resolverlos. Pero, para muchas personas, es más fácil decirlo que hacerlo. Por ejemplo, una de mis pacientes, Judy, había sabido durante años que cobijaba una serie de resentimientos hacia su madre y su hermana mayor. Desde joven, Judy ha tenido un problema de peso. También tiene una madre pequeña, bien proporcionada y atractiva y una hermana mayor bellísima. Cuando Judy era chica, siempre se sintió inferior y fea comparada con ellas y acarreó consigo esos sentimientos como parte de su autoimagen adulta.

Judy comentó durante su primera sesión en nuestra clínica: "No me será difícil descubrir mis resentimientos. Sólo tengo que mirarme al espejo y compararme con mi madre y mi hermana."

En la universidad, Judy había culpado a sus compañeras de cuarto por su problema de peso, alegando: "Comían basura todo el tiempo. Era imposible estar con ellas y no engordar". Después de una cruzada de diez meses para modificar los hábitos alimenticios de sus compañeras, el resultado fue, según Judy: "Tres compañeras vigorosas comiendo verduras crudas y ensaladas de brotes mientras yo seguía con trece kilos de más."

A lo largo de su carrera como redactora de textos publicitarios, Judy se inscribió en sucesivos programas de reducción de peso. Algunos requerían gran sacrificio y disciplina. Judy comenzaba ateniéndose religiosamente a cada técnica, pero descubrió que "aunque prometían ayudarme a controlar el apetito, yo seguía abandonándome a la comida cada vez que me alteraba".

En ocasiones, Judy pasaba semanas enteras muy deprimida por su problema de peso. "Todos me de-

41

cían que tenía una cara muy bonita. Me daban ganas de matar a todos los que mencionaban mi cara bonita. Mi enemigo era mi cuerpo fláccido... había días en que me sentía tan poco atractiva que no salía de casa ni veía a nadie. Más de una vez di parte de enferma y me atrasé en mi trabajo."

La preocupación de Judy por su peso era su forma de evitar tener que enfrentarse a resentimientos encubiertos que le provocaban ansiedad en el presente. La variedad de estímulos que le recordaban sus resentimientos hacia su madre y su hermana era interminable. Por ejemplo, cualquier tipo de rechazo por parte de un novio, su jefe o cualquier otra persona desataba en ella antiguos sentimientos de inseguridad y enojo hacia su madre y su hermana mayor.

Cuando llegó a nuestra clínica, Judy insistía en que su problema era fisiológico... su apetito era difícil de controlar. Sin embargo, al cabo de las primeras sesiones, descubrió que "culpar a mi cuerpo era una gran mentira. En realidad no comía porque tuviera hambre. Lo hacía para sofocar los sentimientos inquietantes en mi vida. Era un infierno mirarme al espejo y sentirme tan descontenta conmigo misma".

Hoy el estómago de Judy es chato y ella ha mantenido su peso normal de cincuenta y cuatro kilos durante un año. Está mejor no sólo física sino emocionalmente. El cambio se produjo después que utilizó ejercicios como los que figuran a continuación para resolver y librarse de su cúmulo de resentimientos hacia su madre y su hermana mayor. "Era increíble la cantidad de veces en que había reprimido mi enojo. Finalmente me di cuenta de que no tengo que ser como ellas para sentirme bien conmigo misma." Por primera vez en su vida, Judy logró cumplir completamente un programa de salud y reducción de peso.

Este caso ilustra un importante principio que muchos otros pacientes han descubierto: *Hasta que usted no se libere de sus resentimientos y se perdone a sí mismo y a su familia, cualquier otra estrategia de salud positiva que utilice se verá seriamente menoscabada.* Judy no pudo resolver su problema de peso sin: en primer lugar, perdonarse a sí misma por haber engordado en demasía y quererse tal como es; y segundo, perdonar a su madre y su hermana mayor por ser como son.

Los beneficios del perdón

Según el *Webster's New Collegiate Dictionary*, perdonar es "dejar de sentir resentimiento hacia (un ofensor); renunciar al resentimiento o derecho de desquite por (un insulto); o conceder remisión de (una deuda)".

En otras palabras, *perdonar es liberarse.*

Es su decisión personal... ¿desea liberarse de sus resentimientos o aún quiere vengarse? Si está empeñado en vengarse, toda su energía está concentrada en el progenitor que usted resiente. Si escoge trabajar con su resentimiento y resolverlo, la liberación y el alivio le devolverán la libertad.

Perdonar no significa encubrir todas las disputas y diferencias entre usted y sus padres. Tampoco implica que deba tratarlos como si fueran unos santos. Simplemente, *perdonar a sus padres le ayudará a cambiar la relación de desconfianza y resentimiento hacia ellos por una relación de amor.* Usted puede no estar de acuerdo con ellos pero quererlos mucho de todos modos. Puede expresar sus sentimientos de enojo o tristeza sin sentirse alejado de ellos. Puede respetar y apreciar las diferencias, y sin embargo aprender de ellas.

Cuando usted se aferra a los resentimientos, el pasado es una pesadilla y el presente desborda oportunidades de despertar su enojo reprimido. Cuando usted perdona a sus padres, sus emociones se aligeran. Ya no se defiende ni teme que algo o alguien atice sus antiguas heridas. Ha recobrado la capacidad de sentir más amor, no sólo hacia sus padres sino hacia todas las personas en su vida.

Lo que se resiste, persiste

Aunque usted reconozca la importancia de perdonar, pueden existir una variedad de motivos por los que ha sido incapaz de perdonar completamente a sus padres. Para algunas personas, la incapacidad de perdonar va acompañada de un deseo de autocompasión. En vez de desistir de sus resentimientos y progresar hacia algo mejor, muchas personas prefieren lamentarse de sus fracasos con comentarios como:

"Nunca nadie me quiso."
"Jamás consigo lo que quiero."

"Si tan sólo mis padres hubieran sido diferentes."
"No imaginas lo que fue mi infancia."

Otros no elaboran sus resentimientos hacia sus padres porque insisten con frases como: "No soy resentido. Soy una buena persona y no guardo rencor a nadie". A muchos de nosotros nos gustaría creernos "buenos" o "adultos", pero negar nuestros resentimientos nos inmoviliza en la desdicha. En lugar de elaborar sus sentimientos no resueltos, muchas personas "buenas" padecen de jaquecas, dolores de cuello, úlceras o afecciones de la piel, o su dolor oculto se filtra en comentarios o reacciones crueles. Cuando usted se aferra a la animosidad, es como si ingiriera pequeñas dosis de veneno. Cuanto más intente negar sus sentimientos, más lo atormentarán síntomas estresantes. El rencor contenido puede ser la razón de su mal dormir, sus sueños inquietantes o su desvelo. Con bastante frecuencia, las personas que insisten en "ya he perdonado a todos", viven agobiadas, sintiéndose víctimas o "agotadas". Muchas personas para quienes su padre o su madre fueron innacesibles a causa de un divorcio, o que sufrieron la pérdida de un progenitor, alegan haber superado el rencor. Pese a sus buenas intenciones, se están haciendo un flaco servicio a sí mismas y a sus seres queridos.

Finalmente, algunas personas simplemente no pueden o no quieren perdonar a sus padres por incidentes que recuerdan con mucho dolor. Aunque comprenden los peligros de acarrear viejas heridas emocionales, insisten en:

"Prefiero odiarlos que quererlos."

"Nunca perdonaré a ese(a) hijo(a) de... por lo que me hizo."

"Se portaron espantosamente conmigo y merecen ser castigados."

Lo que estas personas no comprenden es que al aferrarse a su resentimiento, ceden el control de su bienestar emocional a la persona que los hirió en primer lugar. En otras palabras, conceden poder al resentimiento... cuanto más se resisten a liberarse del pasado, más control confieren al resentimiento sobre sus actitudes y conducta. Al guardar rencor, usted puede estar sacrificando su salud y felicidad con la vana esperanza de que su perseguidor se dé cuenta de cuán "agraviado" se siente usted.

En primer lugar, el motivo para perdonar es recuperar su libertad emocional y su paz interior. Cuando usted es incapaz de perdonar a sus padres o renuente a ello, sucede algo curioso: el malestar emocional reaparece invariablemente en una situación del presente diferente pero igualmente trastornante. Aunque crea que ignorar o reprimir sus resentimientos les pondrá fin, el fenómeno de "Lo que se resiste persiste" incluye algunas de las siguientes repeticiones en apariencia misteriosas:

- Usted se casa con alguien que más tarde comienza a parecerse al progenitor que usted resiente.
- Descubre que ha comenzado a actuar "igual" que el progenitor que odia.
- Empieza a tratar a su cónyuge o pareja del mismo modo en que se trataban sus padres.

- Se sorprende a sí mismo teniendo el mismo conflicto profesional o monetario que tenían su madre o su padre.
- Sufre las mismas enfermedades y atraviesa los mismos percances o molestias que padecieron sus padres.
- Recrea en su vida adulta situaciones emocionalmente trastornantes muy similares a los incidentes sin resolver de su infancia (sólo han cambiado los personajes y los escenarios).

Amor reprimido

Incluso más inquietante que el misterioso resurgimiento de heridas largamente reprimidas es que los resentimientos ocultos conducen invariablemente a una experiencia reprimida de amor y alegría a lo largo de su vida. Cuando usted repele recuerdos dolorosos, refrena su enojo o alberga antiguos resentimientos, esto puede afectar sus relaciones actuales en una variedad de formas.

Por ejemplo, si cobija ofensas y resentimientos no resueltos hacia sus padres, puede haber decidido de modo subconsciente que la intimidad es peligrosa, incapacitándose para ser abierto y vulnerable en las relaciones. Puede ser incapaz de demostrar afecto por las personas que le importan, incluyendo su cónyuge o su pareja o sus hijos. Cuando para sentirse seguro usted mantiene sus relaciones personales a una distancia prudente y necesita controlarse, termina solo y aislado.

Es necesario resolver los resentimientos

Desde los comienzos de la historia registrada, los más grandes maestros espirituales y religiosos han predicado el perdón de corazón. Las modernas investigaciones y prácticas psicológicas han contribuido a volver este proceso más comprensible y manejable. En las páginas siguientes describiré varios ejercicios que han resultado útiles a miles de pacientes y participantes de seminarios que progresaron del resentimiento al perdón.

Aunque estos ejercicios abordan sentimientos o incidentes dolorosos de la infancia, su propósito *no* es que usted viva en una marisma interminable de antiguos resentimientos. En cambio, la intención de cada ejercicio es justamente lo contrario... darle la oportunidad de sanar viejas heridas para que usted *libere más energía* que le permita disfrutar, comprender y amar más y mejor.

Los ejercicios pueden emplearse ya sea que sus padres vivan o no. Como expresé anteriormente, el primer paso para hacer las paces con los padres es reconciliarse con los padres internos. Las técnicas *no* requieren que usted discuta sus resentimientos o emociones penosas con sus padres reales. Antes bien, estas herramientas son para su propia purgación psicológica.

Reserve algo de tiempo para hacer estos ejercicios a solas o con un amigo. Algunas personas experimentan un alivio tremendo después de uno o dos ejercicios; otras necesitan hacer los cinco completos. Aquellos abrumados por resentimientos opresivos deben utilizar repetidamente estas técnicas durante un par de semanas antes de liberarse de sus resentimientos.

1. HAGA UNA LISTA

Prepare una lista de sus resentimientos hacia cada uno de sus padres. Cada recuerdo o agravio doloroso debe ser descripto lo más específicamente posible. Los detalles son de extrema importancia. No es útil escribir generalizaciones como: "Odio a mi padre". En cambio, recuerde un incidente, sentimiento o conflicto que lo haya trastornado y escríbalo tal como sucedió, incluyendo todos los pormenores importantes.

Por ejemplo, en la lista de su madre, podría formular algo así:

"Me ofende que me hayas abofeteado en la escuela delante de mis compañeros de primer grado."

"Me duele sentir que nunca deseaste que yo naciera."

"Me molesta que des la impresión de que soy culpable de tu desdicha."

La lista de su padre podría incluir los siguientes ejemplos:

"Estoy resentido porque no dejaras de beber sabiendo cuánto nos afectaba a todos."

"Estoy resentido porque solías pegarme sin darme la oportunidad de explicarte mi lado de la historia."

"Me fastidia que sigas sin levantar un dedo cuando sabes que mamá no se siente bien."

En la lista de ambos, algunos pacientes han escrito:

"Me duele que se hayan divorciado."
"Me fastidia que siempre me digan cómo gastar mi dinero."
"Me ofende que no sean más amables con... (su cónyuge) pese a que ella (o él) ha tratado de conquistar el cariño de ustedes."
"Me hiere que no puedan dejar de reñir."
"Me molesta que siempre me compararan con..."

No es necesario recordar hasta el más mínimo resentimiento. Después de un punto determinado, cuando haya completado una página entera o más, su lista habrá alcanzado una magnitud crítica. Descanse un momento y constate si no olvidó alguna otra ofensa importante. Tenga en cuenta tanto el pasado como el presente, no se contenga. Después de agregar estos resentimientos adicionales a su lista, deténgase a inhalar y exhalar profundamente un par de veces. Deje brotar sus sentimientos y no tema llorar. Los resentimientos han estado retenidos en su interior durante un largo tiempo; liberarlos puede reanimar sentimientos de enojo, dolor o pérdida.

Recuerde que el propósito de redactar una lista de resentimientos no es remover viejas penas para castigarse a usted mismo o a sus padres. Usted está curando las heridas de su infancia con la intención de recobrar su plena capacidad para el amor y la comprensión. *En ninguna circunstancia debe mostrar estas listas a sus padres.* Para poner las cosas en orden con sus padres reales tendrá que esperar hasta más tarde (Ver Capítulo Tres).

2. VISUALICE A SU PROGENITOR

Cuando usted era niño y sus padres consciente o inconscientemente hacían cosas que provocaban su resentimiento, usted era incapaz de protestar. Con frecuencia, la herida se sumaba a su acopio de dolor no reconocido y usted se esforzaba por simular que todo estaba bien. Ahora que es un adulto, ya no tiene que fingir ni sentirse víctima de sus padres.

Este ejercicio emplea la representación mental creativa para darle la oportunidad de visualizar a sus padres escuchándolo con atención, aceptando plenamente su dolor y sus resentimientos. Al margen de cómo reaccionarían su padre o su madre reales a las descripciones de sus heridas pasadas, y ya sea que vivan o no, en este ejercicio usted imaginará a sus padres brindándole todo el amor, apoyo y respeto que usted desea.

Comience seleccionando un lugar cómodo en una habitación privada. Desconecte el teléfono y ponga un cartel de "No Molestar" en la puerta para que no lo estorben durante al menos treinta minutos. Luego decida con cuál progenitor trabajará en esta ocasión. Extraiga la lista de resentimientos hacia ese progenitor y léala con lentitud. Cuando haya terminado, cierre los ojos y visualícese a usted mismo y a su padre o madre en un escenario adecuado (por ejemplo, el hogar en donde usted creció o tal vez el cuarto en el que se encuentra ahora). Si le cuesta visualizar a su progenitor, mire con anticipación una fotografía de él o de ella.

Con la imagen de su padre o su madre en mente, diga con sus propias palabras: "Por el amor que en el fondo de mi corazón sé que siento por ti y por el amor que del mismo modo sé que sientes por mí, hay algunas cosas que necesito poner en claro contigo". Ahora proceda a poner al tanto a su progenitor interno de sus sentimientos con respecto a los resentimientos en su lista. No es importante abarcarlos todos. Puede desear pasar toda una sesión o dos tratando un evento traumático importante. No deseche ningún resentimiento que le venga a la mente.

Mientras describe sus resentimientos a su progenitor imaginario, puede surgir una variedad de sentimientos. El propósito del ejercicio es que usted desahogue su enojo, ira, dolor o tristeza. Dramatice, exagere sus sentimientos, grite... haga cualquier cosa para liberarse de sus emociones. Permítase expresar su furia aporreando una almohada o colchón cercanos para descargarse físicamente. En este ejercicio usted está tratando de elaborar y resolver los aspectos negativos de su crianza. Hasta los padres más ideales tienen algunos aspectos negativos. Recuerde, sin embargo, que usted manifestará sus sentimientos violentos *sólo en este ejercicio de visualización y no en la vida real.*

Si se distrae o se siente bloqueado emocionalmente, recuérdese el objetivo del ejercicio. No olvide que el propósito no es dañar ni faltar el respeto a sus padres. Antes bien, usted está utilizando estas imágenes y desahogando su ira para resolver antiguas heridas que no le permiten hacer las paces con ellos.

Con cada resentimiento, visualice a su progenitor escuchándolo, aceptando su dolor y comprendiendo sus sentimientos. Imagine a su padre o su madre autorizándolo a "descargarse". Aunque se trate sólo de su imaginación y nunca pueda ocurrir en la vida real, permítase ser comprendido y confortado por su progenitor. Esto puede tener un poderoso efecto curativo.

Después de realizar lo antedicho durante unos veinte minutos (más en algunos casos), sentirá cansancio o que ha sido suficiente por el día. Recuéstese, respire profundamente y relájese. En algunas ocasiones el ejercicio le resultará más fuerte que en otras. Cada sesión será diferente. Nuevamente, si usted tienen una larga historia de resentimientos, el desahogo le llevará más de un par de sesiones con cada progenitor imaginario, así como sesiones con ambos progenitores imaginarios juntos. Deberá repetir el ejercicio unos cuantos días hasta sentir que sus resentimientos "agobiantes" pierden su intensidad y se aligeran.

Antes de finalizar el ejercicio, hay otro paso crucial. Imagínese con su progenitor en un lugar del que usted disfrutaría (como una plaza, una playa o quizá su propio hogar). Luego imagine una luz blanca derramándose sobre ustedes. Piense en la luz como emanando de cualquier fuente que le resulte grata... Dios, el espíritu universal, o el amor. Así como la calidez y la luz pueden ayudar a curar una herida física, de la misma manera esta luz blanca puede ayudarlo a sanar la relación emocional con su(s) progenitor(es). Complázcase en esta luz unos diez minutos a modo de "tratamiento".

No retome su actividad normal hasta no sentirse relajado e integrado con el ejercicio. Si experimenta una presión persistente en la cabeza o cierta irritabilidad, tómese tiempo para descansar y relajarse. Asegúrese de no desahogar los sentimientos de este ejercicio en sus seres queridos.

3. ESCRIBA LA CARTA

La visualización creativa es una forma de liberar viejas heridas; escribir es otra. Algunas personas son más visuales, otras más verbales. He descubierto que lo mejor es utilizar ambas técnicas.

Al igual que un diario personal, el fluir de la conciencia que usted formulará por escrito en este ejercicio constituirá su método personal de dejar al descubierto y liberar sentimientos largamente reprimidos en su interior. Use una lapicera y papel, o una máquina de escribir, lo que más le resulte. Esta técnica le será especialmente beneficiosa cuando esté deprimido, aislado emocional o físicamente, o en un serio conflicto con su jefe, pareja, cónyuge o hijo que pueda estar relacionado con un problema aún no resuelto con sus padres.

Comience la carta con "Querido...:", el nombre con que se dirige(ía) a su madre o su padre. No se preocupe por la prolijidad, la gramática o la ortografía. Aun cuando le cueste expresar sus sentimientos con palabras y haya momentos en que cierta resistencia lo haga vacilar, no abandone el ejercicio y escriba la carta más honesta, directa y reparadora posible, a su madre y a su padre por separado.

Si necesita descansar luego de una página o dos, hágalo. No tenga reparo en comenzar una carta un día y retomarla más adelante. Aunque puede referirse a su lista de rencores, esta carta debe ahondar en la expresión de sus sentimientos. Dondequiera que haya enojo hay dolor. Profundice en sus resentimientos para manifestar sus penas más recónditas. ¡No se contenga!

Por favor, tome nota: es importante que *no* muestre estas cartas a sus padres. El propósito es hacer aflorar sus resentimientos ocultos internos. La mayoría de las personas se sorprenden escribiendo de diez a treinta páginas y quedan estupefactas al descubrir los profundos pozos de tristeza y dolor largamente almacenados en su interior.

El siguiente ejemplo de una carta escrita por un paciente llamado Douglas, un exitoso ejecutivo publicitario que no había hablado con su padre durante más de seis años, ilustra el enojo y amor que mantenemos sofocados.

Querido papá:

Sólo ahora, después de todos estos años, puedo expresar el dolor y la soledad que sentí de niño. Tú y mamá nunca nos permitieron demostrar ninguna emoción. Cuando me enojaba, te burlabas de mí y me decías que me comportaba como un bebé. El enojo manifiesto era algo imposible que podía costarnos un castigo por irrespetuosos. Si me sentía feliz, me decían que no fuera tonto. Y si, Dios no lo permitiera, intentaba hablarte de mis problemas o temores, me decías que "dejara de ser tan débil". Es sorprendente que Karen y yo nos hayamos convertido en adultos bastante equilibrados.

Recuerdo que de chico solía preguntarme qué harías todos los días en el trabajo. Siempre estabas apurado, siempre ansioso, siempre presto a enfurecerte. En un tiempo fantaseaba con que eras una especie de asesino, como los tipos malos de las películas de cowboys que veía en televisión. Nos aterrorizabas a todos, en especial a mamá y a Karen. Cierta vez cuando te pregunté si nos querías, me contestaste: "Claro que sí. Pago las cuentas, ¿no?" Por favor, papá, pagar las cuentas no es amor. Ojalá hubiera podido hacerte ver que yo necesitaba algo más de un padre.

Karen y yo nunca fuimos suficientemente buenos para ti. Sacábamos buenas notas en la escuela, pero nunca estabas satisfecho. En vez, decías que podíamos rendir más o que no nos esforzábamos lo bastante. Jamás nos alentaste... nos dabas órdenes o nos amenazabas. Recuerdo una vez que te pedí ayuda con un problema de matemáticas y me llamaste estúpido. ¿Cómo podías llamar estúpido a tu propio hijo? ¿Creías que eso me motivaría?

Aunque jamás te enfrenté en una discusión, por la forma en que criticabas y humillabas a mamá me daba cuenta de que eras un camorrero que jamás jugaría limpio. Eras rápido para censurar y no sabías escuchar. No es de extrañar que te divorciaras de mamá y nos abandonaras por esa frívola con quien compartes tu vida. Ahora te has quedado sin tus hijos y tienes que convivir con los de ella, malcriados.

Creo que el motivo por el que no deseo que formes parte de mi vida es porque seguirías tratando de dominarme. "Sé fuerte, Doug." "No bajes la guardia, Doug." No quiero que le hagas a mi hijo lo que me hiciste a mí. Adam es una persona libre, un chiquillo creativo con muchos sentimientos. Probablemente lo que tú llamarías un "afeminado". Se enfada, ríe tontamente, levanta la voz cuando tiene algo que decir, ¿y sabes una cosa? Está seguro de que no importa lo que diga o haga, no dejaremos de amarlo. Sabe que nuestro amor es incondicional. El tuyo no lo era.

Sin embargo, debo admitir que me gustaría verte jugar con Adam o contándole historias de cuando eras niño. No confío en ti, papá, pero aún siento algo que no puedo negar. Casi desearía que no me importaras más y poder borrarte por completo de mi vida. Pero aunque ha pasado mucho tiempo, a veces te extraño. Me pregunto si no estaré privando a Adam de algo importante al no permitirle ver a su abuelo.

Tu hijo,
Douglas

Después de haber trabajado con sus resentimientos, Douglas comprendió que ahora debía elegir entre perpetuar el conflicto y la distancia o hacer a un lado la ira de la infancia poniendo de sí más afecto y comprensión. Decidió que era hora de romper el silencio y hablar cara a cara con su padre. Unos días después, le telefoneó y lo invitó a cenar en un restaurante a mitad de camino de sus respectivos hogares. Aunque en un principio titubeó, el padre aceptó la invitación.

En el restaurante, ambos estuvieron nerviosos hasta que Douglas dijo: "Papá, ahora confío en que podemos tener una relación más satisfactoria para los dos. Me alegro mucho de verte." Roto el hielo de esa manera, ambos se relajaron y disfrutaron de la velada. Poco tiempo después, Douglas me contó que había invitado a cenar a su padre y a su esposa para presentarles a su mujer y a Adam, su hijo y primer nieto de su padre.

4. BUSQUE APOYO

Un paso valioso en la autoayuda para sanar viejas heridas emocionales es sentirse apoyado y alentado en la verbalización de sus sentimientos. En ocasiones, liberar resentimientos del pasado puede resultar abrumador y hacerlo sentir culpa hacia usted mismo o hacia sus padres. Es útil contar con alguien que escuche sus penas y reconozca el coraje que usted pone en el esfuerzo necesario para hacer las paces con sus padres. El ejercicio descripto a continuación está diseñado para crear apoyo de alguien a quien usted le importa.

Seleccione a un amigo, cónyuge o hermano en quien usted confíe y que esté dispuesto a sentarse y escucharlo, sin interrumpir ni emitir juicios, durante los veinte minutos o más que le llevará realizar un ejercicio muy emocional. Este amigo *no* debe ser uno de sus padres. Después de sentarse cómodamente frente a frente, usted leerá su lista de resentimientos o su carta. Quizá se sienta avergonzado de estos sentimientos intensos, o renuente a compartirlos. Su amigo debe ser consciente de que esto no será un proceso fácil para usted.

Él o ella se limitará a sentarse frente a usted y a escucharlo. Las únicas palabras que podrá decir son: "Sí", "Continúa", "Entiendo". No debe tratar de consolarlo demasiado con gestos o frases compasivas como: "Todo estará bien", "No llores" o "Arriba ese ánimo". Antes bien, es esencial que quien escuche no lo juzgue, interrumpa o haga comentarios sobre sus sentimientos. Para sanar sus heridas, usted necesita sentirse apoyado en la expresión de sus sentimientos y no que lo estimulen a encubrirlos o a descartarlos con rapidez. La presencia quieta y afectuosa de su oyente será lo más confortador.

Una vez que haya terminado con su lista de resentimientos y/o su carta, asegúrese de agradecer a su amigo con un abrazo y, de ser posible, con un intercambio de masajes de cuello y hombros. El apoyo de él o ella habrá contribuido a que usted haya dado un gran paso hacia la liberación de sus resentimientos parentales.

5. VENZA SU RESISTENCIA A PERDONAR

Para perdonar completamente a sus padres es esencial identificar las resistencias ocultas o inconscientes que bloquean su capacidad de amar y trabajar con ellos. Este ejercicio final constituye una forma rápida y fácil de descubrir qué pensamientos y actitudes obran en contra de su intención de hacer las paces con sus padres. Le brindará la oportunidad de extraer las últimas gotas de veneno de sus abscesos emocionales para así eliminarlos.

Tome varias hojas de papel. Trace en cada una una línea vertical a lo largo del centro de la carilla para delimitar dos columnas. Decida con cuál progenitor trabajará primero. Luego, en la parte superior de una hoja, escriba: "Querido..." (el nombre de ese progenitor).

En la columna a la izquierda escriba: "TE PERDONO". Después cierre los ojos y repare en sus pensamientos inmediatos. ¿Se oye a usted mismo diciendo algo que contradiga la afirmación "TE PERDONO"? Advierta cualquier cosa sarcástica, dudosa o rencorosa que se oponga a su propósito de perdonar. Cualquier reacción que se le ocurra después de "TE PERDONO" debe ser formulada por escrito en la columna a la derecha.

Del mismo modo, continúe escribiendo "TE PERDONO" a la izquierda, así como sus respuestas instintivas y emocionales a la derecha, hasta que comience a sentirse liberado de la resistencia que lo está conteniendo. Esa resistencia es el último obstáculo por vencer para perdonar completamente a sus padres y recobrar su paz interior. Cuando haya escrito tres "TE PERDONO" seguidos y pueda decir con honestidad que no hay comentarios contradictorios o resentidos en respuesta, podrá tomarse un descanso. Algunas personas revelan todas sus resistencias en una única página de manifestaciones de "TE PERDONO". Muchas necesitan varias páginas o sesiones para disolver todas las dudas y condiciones que nos vienen a la mente cuando intentamos perdonar completamente a nuestros padres.

El siguiente es un ejemplo breve extraído de la lista de manifestaciones de "TE PERDONO" de una persona y las respuestas que suscitó:

Querida mamá:

Te perdono.	No. En realidad, no.
Te perdono.	Pero todavía te temo.
Te perdono.	Excepto cuando tratas de manipularme.
Te perdono.	Sólo porque me haces sentir culpable.
Te perdono.	Me gustaría, en todo caso.
Te perdono.	No es fácil después de tus llamadas telefónicas.
Te perdono.	Pero ojalá pudieras verme como soy y no como tú quieres que sea. Si no trataras de vivir a través de mí, podría relajarme más cuando estoy contigo.
Te perdono.	Quizá. No lo sé.
Te perdono.	Me siento raro diciendo esto. Confundido.
Te perdono.	Esto está llevando demasiado tiempo.
Te perdono.	Ojalá supieras que te quiero.
Te perdono.	Me importas, pero me cuesta demostrarlo.

Te perdono.	Ojalá me sintiera seguro siendo yo mismo cuando estoy contigo.
Te perdono.	(nada)
Te perdono.	(nada)
Te perdono.	(nada)

Como terminación adicional, tal vez desee sentarse, cerrar los ojos y visualizar a su progenitor aceptando su perdón y respondiendo a su vez: "Lamento de veras no haberte amado siempre como tú necesitabas que lo hiciera. Era lógico que estuvieras furioso conmigo. Lo comprendo. Pero estaba tan preocupado con mi propia vida y mis problemas que era incapaz de darme cuenta de que estabas dolido y me necesitabas. Sólo puedo pedirte que me entiendas y me perdones".

Abriéndose paso hacia la liberación

Una vez que usted empiece a perdonar a sus padres y a librarse de sus resentimientos, experimentará un cambio básico en su crecimiento personal. Muchos pacientes relatan que antes de trabajar con sus resentimientos, se sentían bloqueados, contenidos, crónicamente tensos o confundidos. Después, usted se sentirá más aliviado, más completo, pleno y centrado... en una posición mucho mejor para poner las cosas en orden con sus padres en la vida real.

Por ejemplo, Kathy tuvo padres que rara vez respetaban su derecho a expresar sus sentimientos, opiniones o independencia. De chiquilla, le compraron un pequeño sabueso que pronto se convirtió en

62

su mejor compañero. Un día, sin embargo, al regresar de la escuela, se enteró de que sus padres habían cambiado de opinión... el perro había sido vendido y Kathy jamás lo vería de nuevo. "Pero era *mi* perro", exclamó Kathy. "¡Ni siquiera me lo consultaron!" Sus padres le respondieron fríamente: "Lo hecho, hecho está".

A los doce años, Kathy comenzó a percibir los cambios en su cuerpo y a sentir ansiedad por el poco desarrollo de sus pechos. A veces, la preocupación le quitaba el sueño y entonces decía a sus padres: "Soy chata como una tabla. Ningún chico se interesará en mí". La reacción de los padres era enviarla de vuelta a la cama con el comentario: "No seas ridícula. No tendrás problemas". Pero Kathy seguía sintiéndose desproporcionada e inmadura en comparación con sus amigas más agraciadas.

Ese año, la familia de Kathy acogió a un estudiante sueco de intercambio extranjero. Su nombre era Lars y el apuesto muchacho de trece años atraía mucho a Kathy, pero ella era demasiado tímida para demostrarlo. En una ocasión, cuando Kathy y Lars regresaron de un picnic escolar empapados y tiritando a causa de un aguacero inesperado, la madre de Kathy les pidió que se desvistieran y aguardaran a que ella les llevara ropa seca.

Kathy se rehusó a desnudarse delante de Lars. Aun cuando su madre insistió diciendo: "No seas tonta, Katherine. Te vas a enfermar", la joven no le permitió que le quitara la blusa mojada. Avergonzada y llorando, Kathy tuvo que encerrarse en el baño para poder cambiarse en privado.

En otra oportunidad, cuando Kathy asistía a la universidad, sus padres desaprobaban el joven con quien salía. Para estupor de Kathy, un día descubrió que sus padres habían utilizado a su mejor amiga como "espía", obteniendo de ese modo informes semanales sobre lo que Kathy hacía y hablaba con su novio. Cuando se enteró, Kathy juró que jamás los perdonaría.

Diez años después, Kathy sufrió un grave accidente automovilístico que requirió cirugía de urgencia para salvar su vida. Cuando las enfermeras le preguntaron si deseaba que alguien se pusiera en contacto con su familia, Kathy les hizo prometer que no telefonearían a su padre y a su madre. "No quiero que vengan", dijo. "No deseo verlos."

Unos meses más tarde, Kathy arribó a nuestra clínica. Dijo: "No sé si soy capaz de mantener una buena relación. Me siento demasiado bloqueada emocionalmente." Su última pareja estable durante tres años había roto la relación entre ellos poco antes del accidente automovilístico. Cuando pregunté a Kathy por qué no había querido ver a sus padres en el hospital, empezó a llorar. "Odio seguir necesitándolos. Por supuesto que quería verlos allí, pero preferí estar sola. Temía que me reprocharan y me culparan del accidente."

Al comenzar a trabajar con sus resentimientos, Kathy se dio cuenta de que había estado reprimiendo grandes cantidades de enojo. Después de una sesión de visualizar a su madre, dijo: "Quería matarla. Una parte de mí es como un ángel vindicativo lleno de odio y venganza. Siempre me consideré una 'buena chica', una 'santa'. En el fondo de mi ser, existe un decapitador que he ignorado durante todos estos años."

Después de muchas sesiones utilizando los ejercicios descriptos con anterioridad, Kathy finalmente se permitió liberar sus emociones iracundas y violentas sin sentirse culpable. En un principio, había sido renuente a sentir esa parte "decapitadora" de sí misma por temor a herir a su madre. Una vez que le hube asegurado que los pensamientos violentos *no* implican que uno vaya a cometer acciones violentas, Kathy dejó de negar el odio y la furia almacenados en su interior.

Tal como comentó durante una de las sesiones: "La única forma de convertirme en una 'santa' de verdad o de hacer a un lado el resentimiento hacia mis padres es reconciliarme con mi ángel vengador interno. Aunque todavía recuerdo momentos en que mis padres fueron muy insensibles e incluso crueles, ya no tengo que contener mis sentimientos y deprimirme. Después de haberme librado de todo ese enojo contenido me siento más viva y a cargo de mi vida que nunca."

Nunca es demasiado tarde

Edith tenía cincuenta y tres años cuando me consultó a causa de los intensos ataques de pánico que sufría cada vez que su hija mayor le pedía que cuidara a su nieta de dos años. Exteriormente, Edith parecía saludable e inteligente, con pocas quejas sobre su matrimonio de treinta y dos años. Estaba orgullosa de sus tres hijas adultas y no comprendía el motivo de su ansiedad.

Durante su primera sesión, Edith manifestó: "No lo entiendo. En cuanto mi hija me pide que cuide a mi nieta, me invade el pánico. Mi hija me cree una egoísta y mi marido está preocupado por la manera en que me trastorno. Una parte de mí piensa que debería ser una mejor abuela; sin embargo, cuando me quedo sola con mi nieta, se me cierran la garganta y el pecho y me cuesta respirar."

En el proceso de detallarme su historia, Edith describió un incidente ocurrido cuarenta y tres años antes que nunca había comentado con nadie. Hija única, Edith había sido muy unida a su madre. Recordaba: "Mamá siempre estaba cerca... la tenía toda para mí y ella me hacía sentir muy especial." Pero entonces, cuando Edith tenía diez años, la hermana de su madre murió en un accidente de auto. No bien la madre de Edith llevó a su casa a Yvonne, la prima de Edith de tres años, la vida cambió radicalmente. Sin el período de nueve meses necesario para adaptarse a la perspectiva de una hermana menor, Edith de pronto tuvo que compartir a su madre, su cuarto y sus posesiones con su prima. Había dejado de ser el centro del universo de su madre, la única receptora de su amor y cariño. Edith se resintió por tener que cuidar a su prima y se sintió abandonada cuando sus padres adoptaron a Yvonne brindándole especial atención.

Al reflexionar sobre ese incidente de su infancia, Edith comentó: "Pero fue hace mucho tiempo. ¿Cómo podría ser la causa de mi pánico actual?"

Le expliqué que tener que cuidar a su nieta o estar a solas con ella despertaba las emociones ocultas sobre la llegada de Yvonne que jamás se había permitido expresar. "En esos momentos, usted experimenta la misma ira que reprimía a los diez años. En aquel tiempo, no tenía forma de manifestar su malestar por el hecho de que le hubieran arrebatado su 'paraíso infantil' con su madre. Después de todo, 'la pobre Yvonne' necesitaba el amor de su madre más que usted."

Edith recordaba haber experimentado sentimientos de ansiedad y agitación similares cuando sus hijas eran muy pequeñas y ella estaba sola con ellas. "Pero en ese entonces me decía que nada debía interferir en el cuidado de mis hijas. Tratándose de ellas, debía limitarme a sofocar mis sentimientos." Como no sentía la misma obligación por el cuidado de su nieta, sus defensas se encontraban debilitadas y los sentimientos largamente contenidos podían aflorar por fin.

En un principio, Edith no estaba muy bien dispuesta a realizar los ejercicios para la elaboración de sus resentimientos. Alegaba: "Soy demasiado vieja y mi madre hace quince años que está muerta." No obstante, cuando redactó una lista de resentimientos, describió "un torrente de sentimientos iracundos que jamás imaginé albergar". Mientras aporreaba una almohada y gritaba que se sentía "excluida", "engañada" y "menospreciada", Edith comenzó a visualizar a su madre reconociendo por primera vez sus sentimientos de dolor y abandono.

Al deshacerse de los resentimientos y perdonar a su madre, Edith alcanzó un nuevo nivel de comprensión sobre su propia naturaleza emocional. Descubrió que había erigido un muro emocional para protegerse y afirmó que "no es de extrañar que mis hijas me acusen de ser insensible y fría. Aunque siempre sentí la falta de afecto de mi madre, me he convertido en el mismo tipo de persona".

Como parte de la reconciliación con su madre, pedí a Edith que investigara la historia familiar materna para intentar comprender mejor la psicología de su madre. Durante una larga conversación con una prima lejana con quien no había hablado durante años, Edith descubrió un patrón familiar de abandono y sentimientos de rechazo trasmitido de generación en generación. Se enteró de que su abuela había muerto cuando su madre era una muchacha. Su abuelo se había vuelto a casar y la madre de Edith había tenido que soportar una madrastra autoritaria y cruel a la que le molestaba la atención que su esposo brindaba a su propia hija. Finalmente, la madre de Edith había sido acogida por una tía abuela. Del mismo modo en que había sido "rescatada" por un familiar afectuoso, la madre de Edith se había propuesto "rescatar" a Yvonne. De hecho, poco antes de morir, la madre de Edith había dicho: "Me he esforzado por ser buena con niños que me necesitaban. Es lo más importante que he hecho".

La comprensión de la herencia familiar ayudó a Edith a reconocer que el aparente rechazo materno había sido influido por fuerzas que estaban más allá del control de su madre. Aunque Edith siempre había reprimido sus resentimientos hacia su madre e Yvonne, ahora podía apreciar el infortunado daño que había sufrido. En vez de permitir que su ira largamente sofocada continuara provocándole ataques de pánico y temor a "lo que podría suceder" con su nieta, Edith comprendió que era tiempo de quebrar el patrón familiar.

En el trabajo con Edith y su hija mayor, empecé a ayudarlas a derribar las barreras emocionales que las habían mantenido separadas. La hija de Edith comentó que "el cambio en mamá ha sido estupendo para nuestra relación. Nunca entendimos por qué era tan renuente a demostrar sus sentimientos ni su ansiedad en el cuidado de su nieta".

Como resultado de haber comprendido y elaborado el incidente reprimido de su infancia, Edith pudo eliminar gradualmente el temor a estar sola con su nieta. En la mayoría de los casos, lleva bastante tiempo superar las fobias intensas o las reacciones ansiosas. Expresar resentimientos no constituye una cura "mágica"; Edith aún tuvo que aprender a controlar sus temores y ansiedades cada vez que estos reaparecieron.

Primero comenzó cuidando a su nieta cuando su esposo estaba presente. Luego aceptó quedarse una hora sola con la niña. Pronto fueron dos horas. Poco a poco, Edith venció su temor y fue capaz de atender a su nieta sin experimentar ansiedad ni miedo. Más importante aún, con lágrimas en los ojos, describió la alegría de poder pasar más tiempo con sus hijas y nietos. "Creí que escribir una lista de resentimientos no era más que ahondar en el pasado. Ahora me doy cuenta de que al enfrentar los incidentes de mi infancia he aprendido a ser una persona más afectuosa y cariñosa... y que nunca es demasiado tarde para acercarnos a nuestros seres queridos."

3

EXPRESAR ENOJO Y AMOR CON SU FAMILIA

Muchos de nosotros nos criamos en familias en las que no era correcto que los niños se enojaran. Si uno se enfadaba y levantaba la voz a sus padres, la reacción era:

"¿Cómo te atreves a hablar así a tu madre (o padre)?"
"No valoras todo cuanto he hecho por ti."
"Sé más respetuoso."
"No me quieres."

El razonamiento alternativo en la mayoría de las familias es que uno *o* ama a sus padres *o* está enojado con ellos. El enojo y el amor, sin embargo, van inevitablemente juntos. Uno de los más grandes descubrimientos de Sigmund Freud, que resistirá el paso del tiempo, es que todas las relaciones emocionales humanas, en particular las más íntimas, son ambivalentes... *allí donde hay amor intenso existe también la posibilidad de furia intensa*. Sofocar el enfado y reprimir las emociones bloquea no sólo el enfado sino también la capacidad de amar.

Por ejemplo, Nancy es una paciente mía que se crió en una voluble familia irlandesa católica en la que el padre solía salirse con la suya intimidando a los demás con su carácter irascible y su voz resonante. Nancy recordaba que cuando el rostro de su padre se enrojecía, su madre y sus hermanos mayores se encogían de miedo. Sabían que en cualquier momento estallaría. Por sobre todo, Nancy temía los comentarios insultantes que su padre hacía cuando se enojaba, de modo que se esforzaba por no irritarlo.

También decidió que la furia era algo que jamás debía expresar. Como muchas mujeres, Nancy fue criada en la creencia que una "chica buena" no se enoja, y se estremecía al pensar que si evidenciaba su enojo podía herir a alguien como habían sido heridas ella y su familia. Durante su primer matrimonio, desdichado, y en una serie de empleos frustrantes en los que se sintió maltratada y malpagada, Nancy hizo todo lo posible por mantener la boca cerrada y sus emociones bajo control.

Sin embargo, cuando cumplió treinta años, descubrió que se encontraba crónicamente deprimida y sola y no sabía por qué. El muro protector que había levantado en torno de sus emociones significaba que sus relaciones, en especial con los hombres y con sus padres, eran "prudentes" y distantes.

Después de redactar una lista de resentimientos y de trabajar con ellos por su cuenta, Nancy supuso que los problemas con su familia se resolverían. Pero durante la siguiente visita a su hogar, descubrió que aunque ella había empezado a cambiar al liberar sus resentimientos, sus padres seguían siendo los mismos. Su padre continuaba intimidándola con su enojo. Su madre persistía en desalentar cualquier demostración externa de afecto. Por mucho que Nancy deseara que las cosas fueran diferentes con su familia, era incapaz de modificar la forma ansiosa y contenida en que se relacionaba con su madre y su padre.

Como lo describió Nancy: "Amo a mis padres, pero no puedo ser yo misma cuando estoy con ellos. Siempre termino con dolor de cabeza o de estómago y tratando de evitar hacer o decir algo que pueda molestarles."

A muchas personas les sucede lo mismo que a Nancy. Desean amar a sus padres pero algo siempre se entromete. Quieren aceptarlos más, pero ciertos rasgos insistentes continúan irritándolos. Desean acercarse a ellos pero ven reaparecer antiguos papeles y conflictos de la infancia. A pesar de la intención de "llevarse bien esta vez" pronto se involucran en otra disputa o confrontación ansiosa.

Para saber cómo se aplica esto en el caso de su familia, pregúntese *honestamente* hasta qué punto disfruta usted de las reuniones familiares:

- ¿Las visitas son relajadas y afectuosas o le espanta algún aspecto de ellas?
- Las ocasiones especiales (cumpleaños, vacaciones, etcétera) ¿constituyen un tiempo de celebración o una mera obligación?
- ¿Se siente cómodo cuando está con sus padres o adopta un papel infantil o adolescente que creía haber superado hace años (como estar a la defensiva, desear aprobación, aislarse, sentirse indefenso)?

- ¿Experimenta con frecuencia conflictos familiares y problemas de comunicación?

Para muchas personas, las perpetuas batallas y desavenencias con sus padres son casi inevitables. Hasta las personas más ambiciosas y creativas han comentado acerca de su relación parental: "Trato de poner a mal tiempo buena cara".

Este capítulo le brindará los medios para modificar esa sombría perspectiva. En vez de ser una víctima con su madre y su padre, usted descubrirá su capacidad de control y poder. En lugar de verse forzado a soportar una situación menos que tolerable en los encuentros con sus padres, podrá establecer los grados de honestidad, aceptación y placer que usted merece. En vez de reprimir su enojo y su amor, aprenderá en este capítulo a sanar el enojo y a compartir más amor con su familia.

Un cambio de perspectiva

Antes de trabajar con sus resentimientos utilizando los ejercicios en el Capítulo Dos, las visitas a sus padres se hallaban sin duda restringidas por el esfuerzo que le demandaba contener sus resentimientos. No obstante, elaborar los resentimientos es sólo el primer paso. Aunque usted haya curado algunas de las heridas emocionales de su infancia, sus padres continúan siendo los mismos. Sin un cambio de perspectiva, las visitas seguirán consistiendo en:

- Esperar que sus padres no hagan o digan cosas que puedan revivir antiguos dolores y resentimientos.
- Sentirse descontrolado cuando ellos desean que usted desempeñe los mismos papeles de cuando era niño.
- Enfadarse y culparlos por peculiaridades, comportamientos y actitudes de siempre.
- Desear con desesperación poder escapar de su influencia, reglas y hábitos para poder ser usted mismo.
- Esperar y desear que cambien.

Que haya comenzado a hacer las paces con sus padres internos no significa que la relación con sus padres reales cambiará de la noche a la mañana. Hasta que adquiera las habilidades para expresar su enojo en forma constructiva y lograr que ellos satisfagan mejor sus necesidades, retrocederá a los viejos patrones. Tendrá que ser tierno y firme, afectuoso y severo para poner en práctica su mayor conocimiento y sus buenas intenciones.

El cambio de perspectiva es en esencia el proceso de transformar una relación adulto-niño o poderoso-indefenso en una relación adulto-adulto de iguales. Si usted tiene una perspectiva infantil o se siente indefenso cuando trata con sus padres, tal vez se sorprenda intentando evitar hacer una escena, temiendo confrontaciones y eludiendo cuestiones emocionales, o pensando que no vale la pena porque tarde o temprano sus padres ya no estarán. Incluso si usted es padre, quizá todavía se relacione con sus propios progenitores con la actitud infantil de impotencia, agobio o elusión de responsabilidad por lo que sucede. Al culpar a sus padres de lo que usted no disfruta en la relación y al permanecer pasivo dejando que los problemas persistan, usted renuncia a su derecho a mejorar las cosas con ellos. Aunque acuse a sus padres de "obligarlo" a someterse a los deseos de ellos, la realidad es que usted *elige* renunciar a su poder por la forma en que considera la relación.

A menudo recuerdo a mis pacientes que *quejarse es una forma ineficaz de conseguir lo que uno desea en la vida*. Si su reacción primaria a sus padres es sentirse víctima, atrapado o resentido, entonces no es de extrañar que la relación no haya mejorado. Al asumir que *ellos* controlan la felicidad y satisfacción suyas, usted ha asegurado que continuará en su desdichado camino.

Por otra parte, si está dispuesto a *asumir el ciento por ciento de la responsabilidad de lo que ocurre en usted*, los resultados serán muy diferentes. Ahora que es un adulto, sus necesidades, buenas ideas y empatía se convierten en las claves para lograr que la relación con su madre y su padre sea más honesta, divertida, relajada y saludable. En vez de apegarse a resentimientos pasados y patrones de conducta, usted puede tomar la iniciativa para comenzar a construir una relación más satisfactoria para usted y sus padres.

Libérese de la trampa de la aprobación

Deténgase un momento y pregúntese por qué usted y sus padres tienen conflictos en primer lugar.

¿Existe algo inherentemente estresante en la relación entre padres y sus hijos adultos? La respuesta, con demasiada frecuencia, es sí.

En la relación con sus padres, es como si hubiera cuatro personajes separados en cada interacción de dos personas. Por ejemplo, entre usted y su padre existen:

1. Las expectativas de su padre sobre quién "debería" ser usted.
2. Usted mismo.
3. Sus expectativas sobre quién "debería" ser su padre.
4. Su padre mismo.

En cualquier momento determinado, usted puede estar en conflicto con su padre porque:

- Usted no satisface las expectativas de él.
- Él no satisface las suyas.
- Usted está cansado de tener que cumplir con las expectativas de él.
- Él está cansado de tener que cumplir con las suyas.

Aunque a usted y a su padre les gustaría tener una relación basada en amor incondicional, el hecho es que *sus sentimientos por él son con frecuencia condicionales* (en tanto él se ajuste a sus expectativas y necesidades) y *los sentimientos de él por usted son condicionales* (según cómo se ajuste usted a las expectativas y necesidades de él).

Esta "trampa de la aprobación", el principal motivo de casi todas las disputas y situaciones estresantes con sus padres, puede restringir su capacidad de disfrutar y bloquear sus sentimientos amorosos porque usted se ve limitado a lo siguiente:

- Desear que sus padres fueran diferentes.
- Sentirse mal porque no lo sean.
- Resistir los consejos y los intentos de ayuda parentales.
- Sentirse atrapado por las expectativas de sus padres.
- Sentirse impelido a desafiar o ajustarse a los valores de ellos.
- Sentirse a la defensiva y poco afectuoso cuando está con ellos.

Para liberarse de la trampa de la aprobación, en primer lugar, debe dejar de resistirse al hecho de que usted y sus padres tienen expectativas y condicionamientos. Una importante verdad de la vida es que *todo crecimiento implica la integración de valores aparentemente opuestos*... la única forma de lograr amor incondicional es reconocer y admitir que usted a veces tiene condicionamientos que bloquean su amor. Debemos aprender a aceptar más nuestros propios condicionamientos y los de otras personas. Tomar conciencia de esta paradoja le permitirá dejar de ser controlado por sus juicios de valor sobre sus padres y los juicios de valor de ellos sobre usted.

Anteponga sus deseos a las expectativas e imposiciones parentales

Si usted toma demasiado en serio las expectativas y condicionamientos de sus padres, su vida diaria estará colmada de intentos de resistir o ceder a los valores de ellos. Dicho razonamiento alternativo implica: "O hago lo que ellos dicen o perderé su amor y respeto". No es sorprendente encontrar personas que a los cuarenta, cincuenta y sesenta años siguen trabajando como locos, experimentando resentimiento hacia sus jefes y sintiéndose insatisfechos porque inconscientemente todavía tratan de complacer a sus padres. Por otra parte, existen muchos individuos que se pasan toda la vida desafiando a sus padres en un intento desesperado por vengarse de ellos. Ya sea usted un conformista o un rebelde, vivir su vida respondiendo a las expectativas o imposiciones de sus padres es una forma de prisión que lo mantendrá insatisfecho y frustrado.

Sus padres son apenas dos de las varias personas que lo aconsejan y apoyan en su vida. A veces ofrecen sugerencias excelentes; otras, inadecuadas para su necesidad o situación. Cuando usted comprende en el fondo de su ser que continuará amando a sus padres pase lo que pasare y que ellos continuarán amándolo a usted pase lo que pasare, las imposiciones parentales desaparecen. Usted puede aceptar o no el consejo de ellos. Para cambiar la relación diaria con sus padres, anteponiendo sus deseos a las expectativas e imposiciones de ellos, usted necesita darse cuenta de que aunque sus padres se opongan, rechacen y desaprueben sus decisiones independientes, usted no debe permitir que los consejos de ellos controlen su vida. Si permanece calmo y sereno a pesar de las diferencias, el amor perdurará.

Fije límites

El problema de Carol con sus padres constituye un buen ejemplo. Aunque Carol, treinta y seis años y divorciada, era una diseñadora gráfica exitosa que se mantenía cómodamente en su departamento bien decorado, su madre le telefoneaba casi todos los días, según Carol: "Sólo para saber si estoy bien". En un punto determinado, todas las conversaciones recaían en la misma cuestión que ponía a Carol contra la pared, cuando su madre comentaba en tono sombrío: "Tu padre te extraña y quisiera que nos visitaras más seguido. No deseas herirlo, ¿verdad?"

Antes de resolver sus resentimientos, Carol percibía los pedidos de su madre como una imposición cargada de culpa, una "obligación" que implicaba "Haz lo que digo o de lo contrario herirás a tus padres". Con cada "obligación", el resentimiento de Carol aumentaba, en tanto alegaba: "He pedido mil veces a mi madre que no me llame todos los días. Me interrumpe cuando estoy desayunando o cenando... a veces cuando estoy en la cama con un hombre. Y esa historia culposa acerca de lastimar a mi padre... si él quiere que lo vaya a visitar, ¿por qué no toma el teléfono y llama?"

Era evidente que Carol se sentía víctima en la relación con sus padres, como una niña indefensa. Le señalé que no debía desempeñar el papel de niña resentida e impotente, a merced de las necesidades y deseos de sus padres. Carol tenía una oportunidad de ser más efectiva en la relación: de aplicar medios y principios que permitirían que la relación se convirtiera más en lo que *ella* deseaba que fuera; de ser más responsable de los resultados y más creativa en la proposición de soluciones.

Durante años, Carol había estado convencida de la justicia de su papel de víctima, como diciendo: "¡Miren lo que me hacen!". Ahora tenía que enfrentarse al hecho de que las llamadas telefónicas de su madre le provocaban enojo, sentimiento de culpa y, en ocasiones, depresión. Cuando pregunté a Carol qué preferiría, respondió que más independencia *y* una mejor comunicación con sus padres. Sin embargo, temía que si "quebraba la calma" y expresaba su enojo, sacrificaría la aprobación y el amor parentales. Estaba permitiendo que la trampa de la aprobación bloqueara la relación con sus padres.

Carol siempre había resentido a sus padres por no ser más sensibles a las necesidades *de ella*, pero nunca había considerado la posibilidad de ser más sensible a las necesidades *de ellos* ni de entender lo que motivaba el comportamiento parental. Como muchas personas, creía que la única forma de llevarse "bien" con sus padres era ignorándolos o evitando una confrontación. Al mismo tiempo, advertía que erigir defensas emocionales contra sus padres empeoraba aún más la relación.

Dije a Carol que utilizar el enojo de manera constructiva significa poner fin a las cosas que la irritan, y a la vez, ser sensible a las necesidades parentales.

Cuando le pregunté por qué su madre la llamaba tan a menudo, Carol lo supo enseguida: "Me extraña. Ahora que sus cuatro hijos son grandes y viven solos, mamá padece el síndrome del nido vacío. Está preocupada porque cree que me siento indefensa y asustada de vivir sola, igual que ella antes de conocer a mi padre."

Sugerí a Carol que ofreciera a su madre una solución que les brindara más de lo que ambas deseaban y necesitaban. "En vez de sofocar su enojo por la manera en que su madre demuestra su preocupación por usted, emplee ese enojo como un llamado a la acción... *para proponer una solución efectiva.*" Fue la primera vez que Carol empezó a considerar el enojo como otra cosa que no fuera una emoción destructiva que debía ser suprimida.

Unos días después, la madre de Carol le telefoneó a la oficina y la interrumpió en mitad de una importante reunión. Cuando Carol le devolvió la llamada, decidió no ocultar su irritación y dijo: "Mamá, me enfurece que me llames a la oficina. Sabes que te quiero mucho y entiendo que llamarme todos los días es tu forma de demostrarme que te importo. *Y* como necesito mi independencia, quiero que hagas algo por mí. Sería mucho mejor si habláramos una o quizá dos veces por semana. De esa forma nos mantendríamos al tanto la una de la otra y las conversaciones serían positivas y agradables. Intentémoslo durante las próximas semanas para tratar de gozar más de nuestras conversaciones, ¿te parece?"

Al principio la madre de Carol se resistió. Dejó de llamar a la oficina pero aumentó el número de llamadas al departamento de su hija. Una vez más,

Carol decidió ser firme: "Me enoja que me llames tantas veces, mamá. Te quiero y deseo que estemos unidas. *Y* creo que si hablamos por teléfono una o dos veces por semana estaremos más unidas y discutiremos menos que si lo hacemos todos los días. Disfrutaremos más de nuestras conversaciones." Aunque la madre de Carol desaprobaba el enojo de su hija, finalmente adhirió al plan y, a partir de entonces, lo cumplió con sólo raras excepciones.

Advierta que Carol dijo "*y*" en vez de "*pero*" al describir lo que necesitaba de su madre. Cuando usted dice a sus padres: "Te quiero, *pero*" está haciendo una manifestación coercitiva que implica: "No te querré *a menos que* hagas lo que digo". Por otra parte, cuando usted dice: "Te quiero *y* me gustaría que hicieras esto y aquello", está comunicando que querrá a sus padres *pase lo que pasare* (amor incondicional) *y* que realmente necesita que hagan algo por usted, de acuerdo con sus preferencias. El "Te quiero, pero" es en realidad un reclamo y tiende a producir resentimiento y resistencia porque a nadie le gusta ser chantajeado emocionalmente por medio del amor. "Te quiero *y*" trasmite amor incondicional y sus necesidades específicas, lo que tiende a lograr mucho mejores resultados.

No es sólo qué se dice sino cómo se dice. Usted *puede* establecer límites con sus padres cuando adopta una actitud de amor y sensibilidad para con las necesidades de ellos. Cuando se pone a la defensiva, critica o juzga, ninguna discusión servirá para arribar a una solución que usted y sus padres puedan disfrutar.

En el caso de Carol, el progreso en la relación con su madre se extendió a sus relaciones con los hombres. Antes de resolver sus resentimientos y aprender a utilizar el enojo de manera constructiva, Carol entablaba relaciones "prudentes", salía con más de un hombre a la vez, nunca se comprometía demasiado emocionalmente y se comportaba a la defensiva y de modo desafiante. Después de poder sentir más amor por sus padres y de fijar, serena pero decididamente, límites con ellos, comenzó a modificar su actitud en las relaciones. En vez de mostrarse fría y a la defensiva para proteger su independencia, empezó a bajar sus defensas y a pedir y obtener lo que deseaba.

Carol también había temido que "si demuestro a las personas que las quiero, lo utilizarán en mi contra". Esto se aplicaba en particular a su ex esposo, Thomas, a quien Carol había evitado ver durante más de dos años. Hace poco, Carol invitó a Thomas a cenar "nada más que para mantener el contacto y restablecer la amistad". Al cabo de una cena elegante en un bonito restaurante, Carol regresó a su casa sintiéndose exultante. Me dijo más tarde: "Me di cuenta de que lo amaba y que no quería seguir casada con él. Esta vez me sentí fuerte y en control de la situación. Incluso le dije que lo había extrañado, sabiendo que no había peligro en demostrarle algo de afecto".

Evite el juego de la culpa

Antes de que Carol descubriera cómo pedir lo que deseaba y expresar su enojo de modo constructivo, siempre había sofocado sus sentimientos hacia sus padres, culpándolos de la insatisfactoria relación con ellos. En vez de resolver las diferencias existentes, Carol y sus padres recurrían a armas psicológicas para manipularse mutuamente. Carol se convirtió en una experta en resentirse, inculpar, replegar su amor o actuar como una mártir. Pero sus padres eran igualmente competentes, o incluso más, en sufrir como mártires, tratar de hacer sentir culpable a Carol y nunca obtener lo que deseaban. *En una relación familiar deficiente, todos se sienten el "pobrecito de mí".*

Cuando usted y sus padres intentan modificar recíprocamente su comportamiento reclamando, inculpando y sintiéndose víctimas, la situación no conduce a ninguna parte. A lo sumo, ambos bandos desahogan algo de su propia culpa y frustración. Recuerde, lo que se resiste, persiste. ¡Cuanto más trate de hacer parecer culpables a sus padres, más tratarán ellos de demostrar que tienen razón! Cuanto más se resista usted a cómo son sus padres, más le irritarán los rasgos de ellos.

La paradoja es que si usted desea que la relación cambie y mejore, debe aceptar a sus padres tal como son. La aceptación y la comprensión favorecen más el cambio que el enfado y la culpa. Carol no podía modificar la necesidad de su madre de telefonearle ni su "síndrome del nido vacío" a través del rechazo y la culpa. No obstante, siendo cariñosa y firme, pudo crear una solución que satisfizo su propia necesidad de una mayor independencia y la necesidad de su madre de contacto y apreciación. En vez de culpar a su madre del problema, Carol fue capaz de emplear su enojo de manera constructiva y de abocar su energía a un resultado positivo.

Atención receptiva

Con frecuencia oigo a personas quejarse de que sus padres "nunca escuchan" o "no quieren comprenderme". Sin embargo, a menudo no advertimos que nuestros padres tienen la misma necesidad de que *nosotros* los escuchemos y comprendamos *a ellos*. "Lo que siembres, cosecharás." Usted debe aprender a generar una atmósfera más receptiva, menos reactiva. ¿Si no deja de juzgar, criticar y excluir a sus padres, cómo puede pretender que ellos sean más atentos con usted?

La atención receptiva puede ayudarlo a mejorar en forma notable la relación con sus padres. La mayoría de nosotros aprendió, de jóvenes, habilidades comunicativas deficientes, en especial en lo que hace a la comprensión y expresión de sentimientos. Por lo general, enviamos mensajes imprecisos, ambiguos, contradictorios y difíciles de entender. Prestando atención a sus propios hábitos como oyente, usted puede descubrir varias formas de abrirse paso a través de las barreras de comunicación que tiene con sus padres.

El arte de la atención receptiva es una de las maneras poderosas en las que comunicamos nuestro amor. La atención receptiva requiere de usted tres componentes: desarrollar empatía, vencer el deseo de tener razón siempre y mantenerse relajado.

DESARROLLE EMPATÍA

El *Webster's New Collegiate Dictionary* define la empatía como "la capacidad de participación en los sentimientos o ideas de otros". Significa escuchar a sus padres de tal forma de poder comprender los sentimientos debajo de las palabras y compartir su marco de referencia. Del mismo modo que usted no criticaría a sus padres por decir: "No me gusta la coliflor", no tiene sentido enfadarse con ellos o intentar cambiarlos cuando expresan un sentimiento u opinión tal como: "No me parece bien que una pareja viva junta si no están casados", "No entiendo por qué permites a tus hijos adolescentes tener el pelo así" o "No creo adecuado que te vistas así. ¿Qué pensará la gente?"

En vez de culpar o atacar a sus padres por sus opiniones, usted debe tomar en cuenta los sentimientos, experiencias y actitudes que sustentan las palabras. En vez de gritar: "¿Cómo puedes decir eso? Qué anticuado", podría descubrir que de haber compartido el mismo medio familiar, valores y educación de sus padres, quizá tendría la misma opinión. Un buen indicador de que usted está escuchando empáticamente es cuando puede decir a sus padres: "Entiendo" o "Comprendo lo que sientes".

Sin embargo, esto no significa que usted deba estar de acuerdo con todo lo que sus padres sostienen acerca de la forma en que usted debe conducir su vida. Simplemente debe brindarles la seguridad y aceptación que todos necesitamos cuando expresamos nuestros sentimientos. Si sus padres saben que usted puede comprender y apreciar el punto de vista de ellos, será mucho menos probable que traten de imponérselo. Recuerde una vez más el principio: "lo que se resiste, persiste"; cuanto menos se oponga y niegue los sentimientos y experiencias de sus padres, menos conflictos y discusiones se suscitarán por las diferencias existentes.

Cuando sienta que se vuelve impaciente o crítico de los sentimientos y opiniones de sus padres, considere un momento qué sentiría usted si "estuviera en los zapatos de ellos". En vez de resistir las ideas de sus padres, puede aprender mucho acerca de ellos y de usted mismo formulando preguntas que le ayudarán a comprender cómo y por qué ellos sienten de ese modo.

Muchos pacientes han manifestado el temor que "si dejo que se queden con la última palabra, creerán que estoy por completo de acuerdo". Esto no tiene que ser necesariamente así. Si usted escucha empáticamente y se toma tiempo para comprender bien los sentimientos de sus padres, creará una oportunidad de explicar con calma por qué usted tiene una opinión diferente. Sólo si usted ha brindado a sus padres el amor, apoyo y la consideración de escucharlos hasta el final, podrán ellos comenzar a entender y apreciar el marco de referencia de usted.

VENZA EL DESEO DE TENER RAZÓN SIEMPRE

La mayoría de las discusiones entre la gente y sus padres tiene poco, o nada, que ver con las palabras empleadas o las ideas en debate. Por ejemplo, usted y sus padres pueden estar discutiendo sobre política, los derechos de la mujer, la última moda en ropa o la importancia de una película reciente. Sin embargo, el enojo y las palabras acaloradas se refieren menos al punto en cuestión y más a la pregunta fundamental "¿quién tiene razón?"

En muchas familias, el conflicto subyacente en cada discusión es una competencia penosa por ver quién tiene el poder, quién sustenta la autoridad. Por lo general se trata de una lucha por el control, en la que ambas partes se sienten incomprendidas.

Los seres humanos somos muy intolerantes. Siempre queremos tener razón y hacer las cosas a nuestro modo. En particular en una discusión acalorada, estamos seguros de estar en lo cierto y de que la otra persona se equivoca. Nos creamos un coro griego de amigos y aliados para que reflejen qué maravillosos somos y cuánta razón tenemos y qué espantosa es y qué equivocada está la otra persona.

En vez de utilizar cada discusión con sus padres como un vehículo para demostrar cuánta razón puede tener usted, la atención receptiva le permite darles la oportunidad de tener razón también. Si usted insiste con: "Tengo razón y tú te equivocas", ellos sentirán la necesidad de defenderse y decir: "*Yo* tengo razón y *tú* eres el equivocado". Por otra parte, escuchar de manera empática fomenta el "punto de vista"... el reconocimiento de que cada uno tiene razón desde su propia perspectiva. En particular en lo que hace a los sentimientos, nadie está equivocado. Un importante aspecto de la intimidad es valorar y aceptar puntos de vista en apariencia opuestos.

Cuando usted es intolerante y quiere tener razón siempre, el estilo de comunicación con sus padres consiste en:

- Demostrar su impaciencia hacia todo lo que ellos dicen.
- Interrumpir a cada momento.
- No ceder nunca aun cuando lo que ellos digan tenga sentido.
- Hacerlos sentir culpables, estúpidos o anticuados.
- Defender su posición como si su vida dependiera de ello.

Cuando usted escucha en forma receptiva, su intención es que sus padres se sientan más relajados, valorados y comprendidos. Su estilo de comunicación consiste en:

- Reflejar cordialidad en su postura corporal, su mirada, tono de voz y expresiones faciales.
- Formular preguntas consideradas para comprender mejor el punto de vista de sus padres.
- Tomar en cuenta los sentimientos que sirven de fundamento a las palabras de sus padres.
- Aceptar con calma los sentimientos parentales sin añadir nada, juzgar o criticar. Si puede repetir el punto de vista de ellos utilizando frases como: "Entiendo que...", "Comprendo que sientas..." o "Aprecio que digas...", es más probable que sus padres también comprendan su punto de vista.

Recuerde que lo importante entre usted y sus padres no es quién gana y quién pierde sino hacer las paces, crear una situación de la que ambos salgan victoriosos. Si se sorprende reaccionando sin escuchar, tome la iniciativa de detenerse, aflojar el paso, relajarse y pedir a sus padres que reformulen o repitan su punto de vista. Aun cuando algunas de las cosas que digan todavía lo irriten, es su responsabilidad hacerles saber que está realizando un esfuerzo sincero por escuchar y apreciar el punto de vista de ellos. Sólo cuando usted deje de resistir a sus padres existirá la posibilidad de que ellos desistan de aquello que a usted le molesta. Si resiste la opinión o punto de vista de sus padres, ellos tenderán a insistir en demostrar que tienen razón. Una vez que les haya demostrado que usted se interesa en escucharlos y comprenderlos, será más fácil resolver el conflicto.

MANTÉNGASE RELAJADO

Muchas personas afirman que por lo general se sienten tensas y a la defensiva cuando están con sus padres. Simplemente aceptan que es "normal" sentirse así frente a su madre o su padre.

Para escuchar receptivamente y evitar conflictos innecesarios con sus padres, es esencial que emplee las técnicas de relajación que le resulten más útiles para reducir su nivel de estrés y bajar sus propias defensas. Si aborda las reuniones, llamadas telefónicas y discusiones con ansiedad, es más probable que se sorprenda reaccionando de manera defensiva a cada cosa potencialmente irritante que sus padres podrían decir.

Si descubre cómo relajarse, dará un paso enorme para comunicarse con eficacia y escuchar receptivamente. Si advierte que respira en forma entrecortada, se le cierra el pecho y se tensan sus hombros, busque una oportunidad para estirarse, dar un paseo o trotar.

Los períodos regulares de relajación lo volverán menos reactivo y explosivo. La práctica diaria de meditación, en especial la técnica de MT (Meditación Trascendental), expone la mente y el cuerpo a un estado único de descanso profundo que parece surtir un poderoso efecto curativo sobre la psiquis. Así como el descanso en la cama ayuda al cuerpo a remediar heridas físicas, el descanso interno logrado a través de la MT parece facilitar la curación de heridas psicológicas.

Si antes de visitar o llamar a sus padres, usted reserva veinte minutos para hacer MT u otra forma de relajación, descubrirá que puede apreciar y disfrutar de las discusiones mucho más que si enfrentara la ocasión con resentimiento o ansiedad. Relajándose y reduciendo sus niveles de estrés antes y durante las reuniones con sus padres, estará menos dispuesto a convertir un incidente menor en otra disputa frustrante.

Exprese su enojo con eficacia

A veces, estar relajado, evitar la culpa y ser receptivo no alcanza cuando sus padres hieren sus sentimientos de tal manera que usted siente ganas de gritar: "¡Basta!". Incluso cuando esto suceda, mantener una perspectiva positiva, fijar límites, escuchar receptivamente y tener empatía puede ayudarlo a expresar su enojo de modo constructivo y eficaz.

De chico, enojarse cuando sus padres herían sus sentimientos probablemente no era algo seguro. Usted podía recibir un golpe, un castigo, ser enviado a su habitación o reprendido de otra manera por "contestar con insolencia". A lo largo de los años, tal vez haya aprendido a contener su ira, ocultar sus resentimientos y encontrar formas indirectas de devolver los golpes a quienes lo hieren.

En el proceso de hacer las paces con sus padres, debe estar preparado para que ellos lo sorprendan o irriten con manifestaciones o actitudes que lo enojan. A nadie le gusta que se lo juzgue o reproche, en particular si quien lo hace es un ser querido. Si el enojo hacia los padres pudiera ser expresado con rapidez y eficiencia, no sería mucho problema. Sin embargo, en la mayoría de los casos, sentir enfado por alguien tan cercano como nuestra madre o padre nos inmoviliza o aterroriza.

Las razones por las que reprimimos y contenemos nuestro enojo son muchas. A casi todos nos asusta la idea de perder el control. Algunos tienen miedo de quedar como unos tontos si demuestran estar irritados. Otros temen lastimar u ofender a un ser querido. Hay incluso quienes se sienten culpables o incómodos por el solo hecho de tener pensamientos airados.

Cuando sus padres lo enfadan, usted tiene dos alternativas... puede convertir su enfado en furia hostil o en furia eficaz. La furia hostil se manifiesta en una variedad de formas. Algunas personas reprimen sus sentimientos, sonríen cuando están enojadas y se aferran a los resentimientos hasta que un día estallan de manera inapropiada y perjudicial. Otras se enferman físicamente a causa de la ira en su interior o bien meditan sobre sus resentimientos y mantienen conversaciones hostiles en sus mentes. Algunas incluso expresan furia hostil con una mordaz agresión verbal para castigar a quienes las han lastimado u ofendido. Muchas desahogan sus sentimientos negativos en seres queridos, empleados o extraños. Ya sea que grite enfurecido o guarde un gélido silencio, el objetivo de la furia hostil es siempre el mismo... tarde o temprano castigar a sus padres, directa o indirectamente, por ser insensibles a sus sentimientos.

Los resultados de la furia hostil son por lo general negativos. Al agredir a sus padres, usted los fuerza a ponerse más a la defensiva. Al enmascarar sus verdaderos sentimientos de amor y dolor con intolerancia o fría indiferencia, usted intensifica el conflicto. Al crear distancia emocional, incrementa los problemas de comunicación.

Por otro lado, la furia se vuelve eficaz cuando usted la maneja de manera menos reactiva. En vez de inculpar o insultar, su objetivo es responsabilizarse de su propia irritación, describir aquello que lo enfada y hacer que sus padres lo comprendan. Sin agredir a la otra persona ni reprimir sus sentimientos, puede defenderse diciendo con rapidez, en esencia: "Eso me dolió, te diré por qué y qué necesito para que no me duela de nuevo". Expresar el enojo de manera eficaz aumenta la confianza y amor en su relación porque usted está dispuesto a admitir: "Me importas y me duele que..."

La furia eficaz es afectuosa. Usted demuestra con su mirada, elección de palabras y tono de voz que, pese a estar enojado, le importan los sentimientos de sus padres. Manifieste su preocupación explicando, en sus propias palabras: "Esto es importante, y como te quiero y tú me quieres, tenemos que aclararlo". Evite agresiones, acusaciones o manifestaciones personales que digan: "Tú hiciste esto" o "Eres tal cosa". Nunca diga "nunca" o "siempre".

La furia eficaz es específica. Evite sermonear, intimidar o tratar de cambiar a su progenitor cuando usted expresa su enojo. De nada sirve dilatarse en el pasado o sacar a colación incidentes no relacionados para apoyar su "causa". Cuanto antes pueda expresar exactamente por qué se siente herido, antes podrá empezar a liberarse de los sentimientos de furia. Comience diciendo: "Me importa nuestra relación y me duele cuando..." Explique con precisión a su padre o madre el cambio específico que usted desea ver.

La furia eficaz es receptiva. Una vez que haya tenido la oportunidad de explicar por qué se sintió herido, deje hablar a sus padres. Sin interrumpir, trate de comprender los sentimientos de ellos. Permítales desahogar su enojo y sentirse comprendidos. Si usted aún no entiende bien el punto de vista de sus padres, pídales que lo clarifiquen. La habilidad para reconocer la perspectiva de sus padres y la suya propia puede producir un cambio constructivo.

El siguiente ejemplo ilustrará cómo expresar furia eficazmente con su familia.

Mark era el hijo del medio en un hogar fuertemente competitivo cerca de Filadelfia. Era considerado "la oveja negra" de la familia. Su hermano mayor se recibió de médico y el menor estudió abogacía, pero Mark tomó un rumbo diferente. Después de la escuela entró en el Cuerpo de Paz, luego trabajó como maestro diferencial y finalmente se convirtió en director de una innovadora escuela para niños con problemas de aprendizaje.

Pese al éxito único y tan duramente ganado de Mark, sus padres nunca dejaron de presionarlo para que se adaptara a las pautas de ellos. Mark describe las visitas a su hogar: "Se lo pasan hablando de mi hermano el doctor y de la casa nueva que compró para su esposa y sus dos hijos. O recitando historias loables de mi hermano el abogado y de todos los clientes célebres que ha defendido. Cuando por fin llegan a mí, es siempre lo mismo: '¿Cuándo vas a casarte?' '¿Llamaste a tu tía cuando estuvo en el hospital?' '¿Ganas dinero con esa escuela tuya?' y 'Ya tienes casi cuarenta años... ¿cuándo vas a encarar tu futuro con seriedad?'".

Durante los últimos tres años Mark ha estado viviendo con Laura, una artista de Texas con dos hijos de un anterior matrimonio. Según Mark: "Cuando presenté a Laura y a sus hijos a mi familia, fue un desastre total. Mamá estaba decidida a que Laura le disgustara y no hizo ningún esfuerzo por ocultar sus opiniones. Hizo comentarios sarcásticos sobre la ropa de Laura, su acento sureño y la forma 'permisiva' en que educa a sus hijos. Mis hermanos no actuaron mejor; apabullaron a Laura, la excluyeron de las conversaciones y me preguntaron en privado: '¿Por qué quieres pasar tu tiempo con los hijos de otro?'. Tuve ganas de mandarlos ya sabe dónde, pero decidí cerrar la boca y rezar para que la visita acabara pronto".

Cuando la madre de Mark le telefoneó para invitarlo a pasar la Navidad con la familia este año, no mencionó a Laura ni a los niños. Mark le preguntó: "¿Qué me dices de Laura?". Su madre replicó: "¿Qué *pasa* con Laura?" ¿No puedes venir sin ella?" Laura se enfureció cuando Mark le relató la conversación. "Me duele que tu madre no me apruebe. Si tienes que ir, será mejor que lo hagas solo." Mark se vio en un aprieto. No podía decir no a su familia, pero quería pasar Navidad con Laura y sus hijos. Cuando pidió a Laura que diera otra oportunidad a su familia y lo acompañara, la respuesta sorprendió a Mark: "Mientras sigas permitiendo que tu madre sea tan grosera, prefiero no verla". Confundido y deprimido, Mark vino a verme.

En las sesiones juntos, Mark empezó a elaborar una cantidad de resentimientos hacia sus padres y hermanos que nunca antes había expresado. La fría acogida a Laura era sólo uno de los muchos incidentes en los que se sentía herido o menospreciado por su familia. Aunque logró liberarse de muchos resentimientos, la furia y frustración por el dilema actual lo inmovilizaba emocionalmente. Su actitud era: "No puedo hacerlo ni no hacerlo".

Cuando le pregunté si alguna vez se había enojado con su madre, Mark pensó un momento y contestó: "Hemos discutido, pero en realidad nunca le demostré estar enfadado". En este caso, sin embargo, reprimir el enojo ya no era una alternativa viable. Mark decía que tenía el estómago hecho un nudo y que se volvía cada vez más colérico con Laura y los niños. Había llegado el momento de defenderse a sí mismo frente a su familia.

Como parte del tratamiento, alenté a Mark a expresarme su furia, como si yo fuera su madre, en un ejercicio de papeles. En un principio, Mark se contuvo diciendo: "No puedo levantar la voz a mi madre". Le pedí que imaginara qué pasaría si desahogara su ira hacia su familia. Mark respondió que temía herir a su madre, sin embargo admitió que expresar su enojo en un ejercicio no podía lastimarla. Una vez que hubo reconocido que no necesitaba expresar su furia hacia ella personalmente, se compenetró en el ejercicio. Agitando los puños, maldiciendo y gritando, Mark soltó una diatriba de sentimientos contra mí en tanto yo desempeñaba el papel de su madre. Gritó cosas tales como:

"¡No te importa nadie excepto tu persona!"

"¡Deja de decirme cómo manejar mi vida!"

"Detesto que juzgues y critiques a todas las personas que traigo a casa para presentarte."

"¡Tengo derecho a ser diferente!"

"¡No me achaques tus temores e inseguridades!"

Después que se hubo desahogado y se sintió bien por haber descargado su furia, le sugerí un cambio de papeles; Mark desempeñaría el papel de su madre y yo el de Mark. Luego inicié la siguiente conversación para ayudarlo a ver el problema desde el punto de vista de su madre.

Mark (representado por mí):	¿Por favor, puedes explicarme por qué has sido tan severa con Laura y sus hijos?
Madre (representada por Mark):	¿En serio quieres saberlo? Te lo diré. En primer lugar, no me gusta que sea casada. Además, ¿por qué el padre de los niños no colabora en vez de dejar que tú los mantengas? Y el aspecto de ella... Demasiado sexy y seductora. No es el tipo de mujer que tenía en mente para ti.
Mark (representado por mí):	¿Estás celosa?
Madre (representada por Mark):	No se trata de celos. No es muy culta, y encima tiene ese acento tejano. Me avergüenza que me vean con ella. Dices que es una artista pero no vive de eso. Y a ti no te sobra el dinero, ¿verdad?
Mark (representado por mí):	Hay tantas cosas de Laura que desapruebas y criticas, mamá. ¿Por qué es tan importante para ti?

Madre (representada por Mark):	¿Importante? Está viviendo con mi hijo. Y quiero asegurarme de que no se aprovechará de ti ni te lastimará.
Mark (representado por mí):	¿Por qué te importa?
Madre (representada por Mark):	Porque te quiero.
Mark (representado por mí):	¿De veras?
Madre (representada por Mark):	Claro que sí. De lo contrario no me preocuparía por tu pareja. Te quiero mucho y deseo que seas feliz.

En este punto, detuvimos el ejercicio porque Mark había descubierto que detrás de la desaprobación están el amor y el interés de los padres por nuestra felicidad. Como le describí a Mark: "Las presiones y opiniones gratuitas de su madre son su forma de quererlo. Ella simplemente está expresando sus valores y punto de vista acerca de lo que piensa que a usted lo hará feliz. Las opiniones o valores de otra persona no deben controlarlo. Usted puede dejar que su madre tenga su punto de vista sin intentar cambiarla. De lo contrario, cuanto más se resista usted al punto de vista de ella y trate de convencerla de que está equivocada, más insistirá ella en intentar convencerlo de que tiene razón."

Una conversación reconciliadora

Un par de semanas antes de Navidad, Mark viajó a Filadelfia para asistir a una convención y acordó reunirse con su madre para pasar un rato juntos. Le dijo que quería hablar sobre la Navidad y comenzó diciendo: "Te quiero, mamá, y significa mucho para mí pasar Navidad contigo, con papá y la familia. Mi familia ahora incluye a Laura y a sus dos hijos. Aunque sé que tal vez no apruebas a Laura o el hecho de que vivamos juntos, necesito decirte que me duele que mi familia la rechace. Laura y yo nos amamos... Me gustaría que pudiéramos pasar Navidad todos juntos."

Después de expresar sus sentimientos sin inculpar ni criticar, Mark escuchó sin interrumpir mientras su madre describía la furia *de ella* por el hecho de que él viviera con Laura. En tanto ella hablaba, Mark realizó un esfuerzo consciente por mantenerse relajado, atento y receptivo. Observando a su madre con atención, pudo discernir la preocupación y el amor detrás de las críticas y las palabras airadas. Cuando ella hubo terminado, Mark la abrazó y dijo: "Eres muy especial para mí, mamá. Tienes tanto derecho a tus sentimientos y opiniones como yo a los míos. Laura desea que la aceptes y espero que algún día lo hagas. Has cumplido tu tarea como madre compartiendo conmigo tus preocupaciones y ahora puedes relajarte. Soy responsable de mis decisiones y las asumo con gusto. Aunque no siempre haga las cosas como a papá y a ti les gustaría, quiero que sepan que los quiero."

Cuando Mark comentó la visita a Laura, ella se dio cuenta de que él valoraba suficientemente la relación con ella y los niños como para enfrentar la desaprobación de su madre. Dado que Mark fue capaz de escuchar los sentimientos de incomodidad y enojo de Laura hacia su madre sin sentirse agredido ni ponerse a la defensiva, el problema con su familia dejó de ser un problema en su relación de pareja. Tanto Mark como Laura sabían que, en el proceso de hacer las paces con sus padres, Mark estaba haciendo todo cuanto podía. Como sentían que el vínculo entre ellos era sólido, no les afectaba tanto lo que la madre de Mark pensara sobre la relación.

A pesar de que hubo momentos difíciles, la visita a la familia de Mark resultó agradable. Cuando la madre hizo un comentario acerca de la ropa de Laura, ni ella ni Mark tuvieron una reacción emocional tan grande como la del año anterior. Ambos comprendieron que el cambio sobreviene con lentitud y no de una vez. Para Mark, lo más importante de ese encuentro de Navidad fue cuando en el aeropuerto, su madre se despidió de Laura con un abrazo y dijo: "Cuídame a mi hijo. Los quiere mucho a ti y a los niños".

En el conflicto de Mark con su familia y en cientos de otros casos, la furia tiende a acumularse con cada llamada telefónica y con cada visita. Aunque Mark consiguió lo que deseaba... su madre y Laura lograron una relación más amable... continuó irritándose a causa de un número de comentarios y acciones de su madre. El proceso de hacer las paces con nuestros padres me recuerda la cita budista acerca del esclarecimiento interior: "Antes del esclareci-

miento, se carga agua y leña. Después del esclarecimiento, se carga agua y leña".

Aunque Mark había realizado un enorme progreso
para sanar los resentimientos hacia sus padres, todavía debía aprender otras técnicas para desahogar su
furia con eficacia. Parte de hacer las paces con sus
padres es reconocer que surgirán otros conflictos y
problemas de comunicación. La clave reside en manejarlos constructivamente.

Libere el enojo adecuadamente

Cuando su progenitor dice o hace algo que a usted le provoca ganas de gritar y no lo hace, su cuerpo sufre debido a la contradicción. La mitad de sus
músculos se tensan como para devolver el golpe
con ira mientras la otra mitad se esfuerza el doble
por reprimir su reacción. Es como intentar conducir
con el pie en el freno.

Además del estrés físico de contener la ira, usted
paga el precio de ver reducida la sensibilidad de sus
sentimientos más tiernos. Por lo general, encubri-
mos el enojo hacia nuestros padres con indiferencia
("¿Enojado? ¡No estoy enojado!"). La energía que usted pone en reprimir los sentimientos hacia sus padres también reprime su espontaneidad, cordialidad
y capacidad para disfrutar de sus seres queridos.
Tratar de explicar racionalmente sus enfados o qui-
tarles importancia sólo sirve para acrecentar la tensión. Liberarse de sus sentimientos de ira en forma
segura y privada constituye una habilidad esencial
para aprender a comunicarse con sus padres.

De tanto en tanto, la madre de Mark solía llamarlo y hacerle algún pedido o comentario que lo enfurecía. Después de una de esas llamadas, sugerí a Mark que cerrara la puerta de su cuarto, visualizara el rostro de su madre y, paseándose de un lado a otro, gritara: "¡Deja de fastidiarme!". Cuando sugerí por primera vez este sencillo ejercicio, Mark se sintió inhibido. Sin embargo, después que lo hubo practicado, se convirtió en la manera más rápida y fácil de transformar un incipiente estado de ánimo "depresivo" en un alivio emocional risueño.

Otro modo de liberar furia contenida es aporrear una almohada. Cierre la puerta de su dormitorio y use una almohada resistente y durable o el colchón de la cama para descargar con furia sus puños y brazos hasta sentir que se ha desahogado por completo. Si lo desea, visualice en la almohada o colchón el rostro de la otra persona en su conflicto. La ira, que incluye la intención de destruir, debe ser descargada adecuadamente. En tanto usted recuerde que no expresará su furia a personas reales, este ejercicio no puede causarles ningún daño. De hecho, a la larga, contribuirá al bienestar de todos.

Muchos de nosotros albergamos en nuestro interior gritos de ira reprimidos, en particular hacia nuestros padres. Mark y Laura se criaron, como el resto de nosotros, con la noción de que la gente nunca debe levantar la voz, pero el siguiente ejercicio les hizo cambiar de idea. Para deshacerse de la furia, grite a todo pulmón contra una almohada, por la ventanilla abierta del auto después de detenerse en un sitio desierto y remoto, o debajo del agua en una piscina. Mark comentó acerca de esta técnica: "Me hace doler un poco la garganta, pero al cabo de unos buenos gritos me siento más aliviado y controlado".

Mark y Laura tuvieron éxito con otros métodos para desahogar el enojo y evitar las depresiones debilitantes. La depresión es en parte enojo vuelto hacia adentro, no liberado. Trotar, caminar con paso enérgico, la danza aeróbica, el jazz, el baile disco, dar puñetazos a una bolsa, nadar, las competencias deportivas y otras formas de ejercicio constituyen maneras adicionales divertidas de descargarse. Mark y Laura siempre trotaban por la mañana para comenzar cada día renovados, en especial cuando visitaban a los padres de Mark.

Cuando usted canalice su enojo e ira en energía positiva mediante el empleo de estas técnicas, descubrirá que:

- Se siente más afectuoso hacia su familia, cónyuge e hijos.
- Ha reducido o eliminado los síntomas de estrés, incluyendo las tensiones en la espalda, el cuello y el estómago.
- Experimenta una mayor vitalidad sexual.
- Ha reducido los sentimientos de depresión y el deseo de evasión mediante las drogas, el alcohol o la comida.
- Goza de una mayor creatividad y espontaneidad.

Aliente lo positivo

Durante la infancia de los hijos, los padres son quienes tienen el mando; pero en la mayoría de las familias, esta situación se extiende a la edad adulta. Con frecuencia, las reuniones familiares responden a las necesidades, obligaciones y valores parentales. En lugar de disfrutar del tiempo compartido, los integrantes más jóvenes asisten porque sienten que "deben" estar juntos.

Al hacerse responsable de su propia felicidad y desear compartir lo mejor (no lo peor) con sus padres, usted tiene ahora la oportunidad de crear reuniones familiares mucho más agradables. En vez de sentirse obligado a asistir o de hacerlo cargado de resentimiento, reconciliarse con sus padres libera la energía necesaria para que la relación sea satisfactoria.

A continuación figuran ideas de algunos de mis pacientes que tomaron la iniciativa de mejorar la calidad de los encuentros con sus padres:

- En vez de que una persona haga todo el trabajo para las cenas y feriados, la "nueva" tradición familiar se basó en cenas informales y responsabilidades compartidas.
  Cada año, los miembros de la familia se turnaban para ser anfitriones.
- En lugar de limitar la relación con sus padres a cenas los días no laborales y a actividades hogareñas, muchos pacientes comenzaron a incluirlos en una variedad de actividades divertidas... picnics, paseos a parques de diversiones, conciertos sinfónicos, actividades de voluntarios y eventos deportivos.
- Los regalos ya no se limitaron compulsivamente a cumpleaños y ocasiones especiales. Según dijo un

paciente: "Me encanta sorprender a mis padres con regalos extravagantes cuando menos lo esperan. La semana pasada le regalé a mi madre una hora de masaje en un centro de salud. Nunca se había dado uno y pensé que era hora que se permitiera un poco de relajación y de mimos."

EVITE LOS CONFLICTOS POTENCIALES

He advertido que muchas personas confunden hacer las paces con sus padres con ceder en muchas cosas para complacerlos. Usted no debe dejarse controlar por la trampa de la aprobación. De ahora en más, su opción es desarrollar creativamente soluciones que satisfagan las necesidades de ellos *y* las de usted. Por ejemplo, muchas personas cometen el error de asumir que ciertas tradiciones familiares constituyen reglas sacrosantas que no se pueden violar. Tal como Mark y Laura lo demostraron, la obligación de asistir a una reunión de Navidad en la que uno de ellos o ambos se sentiría muy incómodo debía evitarse hasta que la situación mejorase. En otros casos, los pacientes han aprendido a fijar límites con sus padres para que las reuniones resulten ocasiones agradables, con un mínimo de obligaciones indeseables.

Otro problema frecuente surge cuando, aun sabiendo que la respuesta es obvia, pedimos consejo a nuestros padres. Por ejemplo, si usted sabe que sus padres desaprobarán o prohibirán aquello que usted desea... casarse con alguien que ellos no elegirían para usted, seguir una carrera que no sea la preferida de ellos o realizar una compra importante a la que ellos se opondrían... *no está obligado a pedirles su opinión*. Cuanto menos necesite usted la aprobación parental y más dispuesto esté a aceptar el punto de vista diferente de sus padres, más podrá confiar en usted mismo y evitar disputas innecesarias.

Una vez que empiezan a llevarse mejor con sus padres, muchas personas sienten erróneamente la necesidad de "confesarlo todo", sin importar lo inapropiado que pueda ser. Después de doce años de silencio, una mujer decidió contarle a su madre, una católica romana devota, acerca de un romance y un aborto en su vida. La madre se horrorizó y sobrevinieron una serie de conflictos nuevos. Durante meses después, ambas mujeres estuvieron emocionalmente alteradas como resultado de aquella revelación. Es evidente que "confesarlo todo", cuando incluye incidentes que sus padres no pueden manejar, puede ser más perjudicial que beneficioso. Usted es ahora un adulto y tiene derecho a ser reservado y apropiadamente discreto.

LA IMPORTANCIA DE LOS RECONOCIMIENTOS

¡Algunas personas temen que, cuando hagan las paces y dejen de pelear con sus padres, no les quedará nada de qué hablar! En primer lugar, tiene que recordar que los problemas, desafíos y enojo continuarán presentándose en la relación. La diferencia ahora es que usted poseerá habilidades para encauzar el enojo de manera efectiva. En segundo lugar,

no debe olvidar su intención de compartir su a-
mor con sus padres. He notado a menudo que el
amor reprimido es aun más doloroso que el resentimiento reprimido. Usted puede terminar con años
de negatividad y conflicto interpersonal en su familia iniciando y alentando el siguiente tipo de reconocimientos verbales:

- Cuando su madre diga algo perceptivo o demues-
  tre más sensibilidad a sus necesidades, hágaselo
  saber.
- Cuéntele a su padre algunas de las formas en que
  él le enseñó a conseguir sus objetivos y a alcanzar
  maestría en la vida.
- Brinde a sus hermanos y hermanas el apoyo y
  aliento que usted siempre deseó cuando enfrentó
  desafíos difíciles.
- No tema decir "Te quiero", sin importar cuántas
  veces haya reprimido antes esas palabras. Envíe
  flores o una nota afectuosa en el momento más
  inesperado. No espere a que el otro dé el primer
  paso. Quizá le resulte nuevo y riesgoso, pero las
  recompensas por ser abierto con sus sentimientos
  positivos son enormes.
- Reconozca que todos necesitamos amor... simplemente porque es muy agradable sentirse aprecia-
  do. Mire profundamente, extienda una mano u
  ofrezca un abrazo a alguien de su familia. Esté dispuesto a iniciar un abrazo en vez de esperar a que
  su madre o padre lo haga. Los resentimientos pueden haberse desarrollado en primer lugar debido a
  una incapacidad para amar y ser amado. Ahora depende de usted introducir más amor en sus rela-

ciones. Tal vez deba iniciar los primeros doscientos abrazos. Recuerde, usted es fuerte y ya no necesita seguir temiendo compartir su amor.

- La mayoría de la gente se queja de que sus padres siempre están criticándolos, cuando de hecho, son ellos quienes siempre están criticando a sus padres, ¡inclusive criticándolos por criticar! Aprender a quebrar estos malos hábitos significa decir a sus padres lo que hacen *bien* además de aquello que a usted lo irrita. Cuando reconozca algo a sus padres, sea específico. Trasmítales con palabras y expresiones faciales lo bien que se siente. Cuando hagan algo especial por sus nietos, asegúrese de hacerles saber cuánto valora el gesto. Cambiar la perspectiva de lo que hacen mal a lo que hacen bien puede descubrir toda un área nueva de cosas sobre qué hablar.

- Cuando usted haga o diga algo afectuoso a su padre o madre, no se sorprenda si él o ella tiene dificultades para asimilarlo. Del mismo modo en que usted se sintió no querido muchas veces, ellos recibieron muy pocos reconocimientos o lo hicieron con demasiadas condiciones. Dé a sus padres un momento para asimilar las cosas cariñosas que usted diga o haga. Parte de decir "Gracias", "Te valoro" y "Te quiero" es aguardar pacientemente a que sus padres comprendan cuánto los aprecia usted. Aun cuando no capten el mensaje la primera vez, usted debe estar dispuesto a repetirles hasta el cansancio que su amor es sincero.

4

MÁRTIRES, DICTADORES
Y OTROS PADRES "DIFÍCILES"

La palabra *paces* en el título *Haga las paces con sus padres* sugiere la existencia de una guerra. A veces, esta lucha es entre usted y sus padres reales. Casi siempre es un conflicto interno entre usted y los padres que lleva dentro de su cabeza. Este capítulo le ayudará a tratar con padres mártires, dictatoriales o de otro modo difíciles con el fin de lograr la libertad emocional y mejorar hasta la relación más tensa con su madre o padre.

Ser padres nunca es fácil. En el proceso de desear influir, guiar y proteger a los hijos, los padres, habitualmente o sólo en ocasiones, recurren a una variedad de armas emocionales que acarrean consecuencias psicológicas negativas. Las armas emocionales más comunes, la culpa y la intimidación, pueden producir efectos a largo plazo en la salud y bienestar además de socavar seriamente sus esfuerzos por hacer las paces con los padres.

La culpa y el progenitor mártir

La madre o padre mártir mantiene el control haciendo que usted se sienta impropiamente responsable de su sufrimiento. Con lágrimas, malhumor, quejas de salud y una actitud de generosidad rayana en el masoquismo, el progenitor mártir puede hacer que usted se sienta culpable por todo lo que hace o quiere y que contraría los deseos de él o ella. Por ejemplo, después que su progenitor mártir le hace un favor, tal vez usted oiga lo siguiente: "Mira lo que hago por ti". Si, por otra parte, usted desafía al progenitor mártir y rechaza el aparente favor, oirá: "Después de todo lo que he hecho por ti ni siquiera me aprecias. Vaya gratitud la tuya".

Toda vez que su madre o padre mártir desea controlarlo, simplemente se lamenta: "Sólo te importa lo tuyo. Eres muy egoísta". La insinuación persistente es: "Si me quisieras, harías lo que yo digo".

Entre los comentarios inspiradores de culpa que usted quizás haya escuchado se encuentran los siguientes:

"Renuncié a todo por ti y así es como me lo agradeces, con este desaire."

"El parto fue tan doloroso que los médicos pensaron que moriría (su madre)."

"Quise que tuvieras todo lo que yo nunca tuve, y mírate ahora... ni siquiera te importa."

"La única razón por la que permanecimos juntos fue por ti."

"¿Así que te vas de vacaciones y no vendrás a visitarnos? Que te diviertas."

"Por supuesto, estás muy ocupado y no tienes tiempo para telefonear. Lo entiendo perfectamente."

El mensaje subyacente que recibe de su madre o padre mártir es que, siendo como es, usted hiere a sus padres. Esto puede provocarle una sensación de culpa de por vida. Para ilustrar cómo puede sentirse atrapado o manipulado por un progenitor mártir, fíjese si puede reconocer, en su propia experiencia, cualquiera de los siguientes mensajes incompatibles:

"Ahora eres un adulto y tienes que vivir tu propia vida... ¿Pero cómo es posible que ya no desees visitarnos?"

"Sólo quiero que seas feliz... ¿Pero por una vez en tu vida no puedes dejar de ser egoísta y pensar en cómo me siento?"

"Es tu decisión y nadie puede tomarla por ti... Pero si me escucharas, estos problemas jamás sucederían."

"Por supuesto que tienes derecho a tus propios valores (estilo de vida, amistades, creencias religiosas, etcétera)... Pero no puedo dejar de preguntarme: '¿En qué nos equivocamos?'"

Si estos comentarios se acompañan de suficientes gruñidos y suspiros, usted termina sintiéndose culpable e inmovilizado.

La intimidación y el progenitor dictador

Con un estilo algo diferente, la madre o padre dictador utiliza regularmente el temor y la intimidación para hacer que usted acate los deseos de él o ella. Cuando usted contraría a un progenitor dictador, escucha el siguiente estallido airado: "Eres un vago, inútil, malcriado y desagradecido. Harás lo que te digo o recibirás un castigo que jamás olvidarás". Con la constante amenaza de violencia física o emocional, su progenitor dictador lo ha aterrorizado con la mofa, la mirada de desdén, el dedo acusador o los ojos inyectados en sangre que hacen que usted tiemble de miedo anticipando una explosión. Así como el progenitor mártir dice: "Mira lo que me estás haciendo", el progenitor dictador dice: "Mira lo que te haré".

Entre los comentarios atemorizantes que su progenitor dictador puede haber utilizado para que usted le obedeciera o para disminuirlo figuran los siguientes:

"¿Cómo pudiste ser tan estúpido? ¡Te dije que no hicieras eso!"

"No me importa la edad que tengas (lo educado, rico, famoso que seas). Soy tu padre y sé lo que digo."

"No me mientas. ¿Qué andabas haciendo con esos piojosos (raros, vagos, extraños) amigos tuyos?"

"Si me vuelves a levantar la voz te daré vuelta la cara de una bofetada."

"No tengo por qué darte explicaciones. Lo harás porque yo lo digo. ¡Punto!"

"Mientras yo pague las cuentas, seré quien manda."

Al igual que el progenitor mártir, lo principal para el progenitor dictador es el control: "Si eres bueno harás lo que digo". Utilizando el enojo, un tono de voz alto o tácticas amedrentadoras para ejercer el control, su padre o madre dictatorial lo intimidará en un momento y le exigirá afecto al momento siguiente diciendo:

"No seas tan sensible."
"¿No puedes tolerar una broma?"
"Sabes que sólo hago lo que es mejor para ti."
"La próxima vez piensa primero y esto no volverá a suceder."

No es de extrañar que la ira lo carcoma por dentro cada vez que una figura de autoridad intenta controlarlo o intimidarlo. Aunque usted ya no esté bajo la dominación física de sus padres, todavía puede seguir sintiéndose intimidado por la furia de ellos o de cualquier otra persona.

Conflicto interno

Aun cuando hayan pasado años desde la última vez en que escuchó a su progenitor mártir gemir y decir: "Haz lo que quieras. ¿Por qué habría de importarte lo que siento?", o desde que fue agredido por la ira violenta de su padre o madre dictador, los recuerdos y sentimientos negativos todavía perduran. ¡Con frecuencia, *los hijos de un mártir o un*

dictador internalizan tan bien la culpa y la intimi-
dación que tienden a presionarse, castigarse y con-
trolarse a sí mismos con mucha más vehemencia de
lo que lo hicieron sus padres! Si usted es una persona con mucha autocrítica o a menudo siente "haga
lo que hiciere, nunca es suficiente", entonces la lucha que enfrenta no es sólo con su progenitor real
sino también, y quizá más importante, con usted
mismo.

Su progenitor "difícil" tal vez alterne entre mártir
y dictador, mostrándose dolido y abnegado en un
momento y rabioso al momento siguiente. En algunos casos, estos estilos coercitivos se agravan con
problemas adicionales de divorcio, alcoholismo,
drogadicción o inestabilidad emocional. Al margen
del tipo de dificultades que tuvieron sus padres y
de que uno o ambos sea un mártir, un dictador o
una combinación de los dos, usted debe admitir
que, al igual que muchos niños, *es probable que*
consciente o inconscientemente se sintiera respon-
sable de los problemas de sus padres. Cuando le
ocurre algo malo a un padre o madre, con frecuencia el hijo se siente culpable. Cuando un progenitor
está crónicamente ansioso, deprimido o enojado, el
hijo tal vez se sienta responsable. Cuando los padres se divorcian, los hijos casi siempre se pregun-
tan si fue culpa de ellos. Cuando un progenitor está
afligido por el alcohol, las drogas, reveses financieros, problemas de salud o emocionales, el hijo se
pregunta a menudo: "¿Qué fue lo que hice para
causarle este dolor?".

"Nos enloquecíamos mutuamente"

Julie, una asistente social de treinta años, era una paciente que creció sintiéndose responsable de los problemas de sus padres. Extenuada por un trabajo mal pago, llegó a nuestro centro de salud con un clásico caso de "agotamiento". A pesar de que se le decía sin cesar que necesitaba descanso y una buena cuota de diversión en su vida, Julie seguía trabajando demasiadas horas diarias y anteponiendo las necesidades de los demás a las propias. En consecuencia, solía caer enferma con un resfrío fuerte, fiebre, bronquitis u otra dolencia.

Como resultado de su capacitación como asistente social, Julie tenía conciencia de la dinámica en su familia. Su madre mártir era una mujer muy inteligente que había renunciado a su empleo de reportera gráfica para tener hijos. Se resentía por estar casada con el padre de Julie, un hombre adicto al trabajo, frío e inaccesible, que dirigía una cadena de tiendas de artículos deportivos con sucursales en cinco estados.

Según Julie: "La hostilidad en mi familia era tan densa que podía cortarse con un cuchillo. Aunque mis padres no solían discutir, la tensión siempre era evidente. La mayoría de las veces estallaban con comentarios airados. Mi padre decía algo así como: 'Cuando me muera te darás cuenta de lo mucho que me sacrifico por ti y la familia'. Mi madre replicaba: 'Por lo menos entonces existirá una excusa para que nunca estés en casa'".

Julie tenía reiterados problemas cada vez que visitaba a sus padres. Como éstos vivían bastante lejos, las visitas duraban una o dos semanas. Sin embargo, después de vivir bajo el mismo techo tres días seguidos, según Julie, "mamá y yo nos enloquecíamos mutuamente". Julie explicaba: "Todo lo que hago le parece mal. Y la trastorno tanto que me hace sentir una criminal. Con sólo poner el salero en el lugar equivocado pareciera que la hiero de muerte".

Cuando Julie no está con sus padres, ellos le telefonean todos los domingos. "Las conversaciones empiezan muy bien. Les cuento las últimas noticias y cómo está el tiempo. Pero después ellos pasan a informarme quién enfermó, quién murió, quién se casó, quién se divorció y cuál de mis antiguas amigas hizo algo que molestó a sus padres. En esencia, el mensaje todas las semanas es que 'no hay nada nuevo. Odiamos nuestras vidas. No le importamos a nadie. Los hijos son unos desagradecidos. Si te preocuparas por nosotros y nos visitaras más seguido no sufriríamos tanto'."

Dos meses antes de que Julie acudiera a mí por terapia, su madre la llamó y la despertó a las siete de la mañana.

—¿Qué pasa? —preguntó Julie.

—Nada —replicó su madre—. ¿Desde cuándo es un crimen que una madre llame a su hija?

—Son las siete de la mañana, mamá.

—Pensé que tenías que levantarte para ir a trabajar. Lo siento. Llamaba para decirte que iré a visitarte.

—¡Estupendo! ¿Cuándo?

—Tu padre viajará a principios de la semana que viene. No quiero estar sola.

—¿Cuánto tiempo te quedarás?

—¿Qué sucede? No deseas que vaya, ¿verdad?

—No dije eso, mamá.

—Pero lo diste a entender. De acuerdo, no iré.

Julie terminó disculpándose profusamente y accediendo a que su madre la visitara y se alojara dos semanas en su apartamento mientras su padre abría una tienda nueva en otro estado. La visita fue traumática. La madre de Julie no dejó de criticar a su hija: su forma de cocinar, de vestirse, sus amigos, los muebles, sus hábitos de salud y estilo de vida en general. Cuando Julie intentaba defenderse, su madre rumiaba en silencio y luego acotaba: "Regresaré y me quedaré sola en mi casa vacía. Al menos de ese modo evitaré el odio de mi propia hija." Después de faltar al trabajo gran parte de las tres semanas siguientes debido a una gripe severa, Julie concertó una cita para verme.

Salvadora o víctima

Como muchos hijos de padres mártires, la conducta de Julie alternaba entre dos papeles ineficaces: salvadora y víctima. A lo largo de los años, había tratado de convertirse en amiga, terapeuta, consejera e incluso madre adoptiva de su madre. En su papel de salvadora, Julie a menudo se veía atrapada entre su padre y su madre cuando ellos discutían. Como si fuera su responsabilidad ser el pacificador en la familia, Julie se sentía obligada a involucrarse cuando uno de ellos se irritaba o apenaba. Más aún, se daba cuenta de que la elección de su carrera de asistente social era otra forma de intentar aprender las habilidades y mecanismos necesarios para manejar crisis familiares, incluyendo la de su propia familia.

No obstante, era incapaz de admitir que ser una salvadora y tratar de salvar a su madre mártir la hacía sentirse y actuar como una víctima y otra mártir. Quería creer que podía remediar las desavenencias y conflictos permanentes entre sus padres. Estaba convencida de que si su madre tan sólo escuchara, ya no sufriría. Estaba resuelta a ser quien obrara el milagro para que todos en su familia se sintieran felices y seguros. ¡Era Julie al rescate las veinticuatro horas del día!

Julie no pudo cambiar la situación; de hecho, su incapacidad para decir "No" a su madre la enfadaba y la hacía culpar a la mismísima persona a quien creía desear ayudar. Su renuencia a preocuparse por su propia salud estaba pagando su precio. Su negativa a dedicar más tiempo a nutrirse y divertirse también se convirtió en una manera de intentar "aventajar en sufrimiento" a su madre.

Era como si Julie respondiera al lamento de su madre de: "Mira lo que me haces" con su propio lamento: "Pero mira lo que tú (y el resto) me estás haciendo a *mí*". Al rehusarse a expresar sus necesidades, fijar límites y ocuparse de su propia salud y bienestar, Julie estaba siendo víctima del mismo síndrome de mártir que tanto le disgustaba en su madre.

Corte el cordón umbilical emocional

Como muchos hijos de padres mártires, Julie no quería o no podía sentirse en paz consigo misma mientras su madre sufriera. Toda vez que su madre clamaba de infelicidad o hacía un comentario inductor de culpa, Julie reaccionaba de inmediato sintiéndose culpable, autocrítica, deprimida o insegura de tener derecho a disfrutar de su vida. Expliqué a Julie: "El objetivo no es luchar, rogar, escapar ni convertirse en alguien como su madre. No debe permitir que la depresión y desdicha de ella la controlen, y tampoco puede cambiarla. Asuma que su madre no cambiará. En vez, su objetivo debe apuntar a modificar su respuesta emocional de modo que *usted* pueda escoger una reacción adecuada y eficaz".

La víctima dentro de nosotros siempre se lamenta: "Pero mi progenitor me *hace* culpable... él o ella lo hace". Para lograr responder por nuestros propios sentimientos, usted debe poder decir: "¿Cómo y por qué elijo sentirme culpable? ¿Qué puedo hacer en cambio para ayudarme y ayudar a mi progenitor con más eficacia?" La culpa no es algo que su padre o su madre le hacen. Como dije a Julie: "Su madre hace lo que hace y luego usted escoge reaccionar con culpa y tratar de salvarla; después se enfurece, se desilusiona y se siente víctima porque no puede cambiarla."

Para cualquiera que se haya criado con un progenitor mártir, es esencial reconocer que *la culpa es un autocastigo que usted no merece.* En realidad, Julie no había causado ni podía remediar la aflicción emocional de su madre. Para ilustrar cómo opera la culpa y ayudar a Julie a dejar de culparse por los hábitos autocríticos y autodestructivos de su madre, me puse de pie en mitad de una de nuestras sesiones y me acerqué a la ventana.

—Ahora, ¿si yo me arrojara de cabeza por esta ventana y me estrellara contra el pavimento abajo, matándome o quedando paralítico, sería su culpa?

Julie rió y respondió:

—Por supuesto que no.

—¿Pero, y si dejara una nota diciendo que Julie me miró mal, que Julie sólo piensa en sí misma, o que Julie no satisfacía mis expectativas de progreso psicoterapéutico? ¿Entonces sería su culpa?

Julie vaciló un momento antes de contestar.

—No, sería ridículo. Yo no lo insté a arrojarse.

Le pedí que considerara cómo esa "nota" constituía en esencia la misma estratagema de control que ella había permitido a su madre utilizar durante años en la relación entre ambas. Cuando Julie entendió la conexión, su rostro se iluminó. Admitió: "Por un segundo, casi pensé que yo era culpable de que usted saltara por la ventana". Julie comprendió que tenía la opción de sentirse o no culpable. Cuando reaccionaba a su madre mártir o a cualquier otra persona, tenía más opciones que los papeles de salvadora o víctima. Ahora poseía el discernimiento necesario para cortar el cordón umbilical emocional.

Aligere la culpa

Aunque puedan no gustarle los comentarios y comportamientos inductores de culpa perpetrados por sus padres mártires, usted *no* tiene que reaccionar automáticamente como una máquina de estímulo-reacción fuera de control. Cuando él o ella digan "Salta", usted no tiene que saltar ni sentirse culpable. Cuando su progenitor expresa implícitamente: "Haz lo que digo o me lastimarás", usted no tiene que hacer un esfuerzo supremo por tratar de complacerlo (perjudicándose usted mismo en el proceso).

Tres semanas antes de la fecha en que Julie iría a su casa para estar con su familia en el casamiento de su primo, le pedí que hiciera un ejercicio desensibilizador de culpa que ha ayudado a miles de pacientes a aligerar su reacción de culpa automática y a vérselas más eficazmente con un progenitor mártir. En vez de ser forzado a sentir resentimiento y a desear pelear o huir cada vez que su progenitor mártir intenta hacerlo sentir culpable, usted puede aprender a detenerse, relajarse y elegir una reacción más adecuada. Al manejar el comportamiento "difícil" sin sentirse herido, enfurecido o atrapado, usted ya no estará a merced de su madre o padre mártir.

El ejercicio requiere que usted comience redactando una lista de por lo menos cinco de los comentarios o situaciones inductores de culpa más utilizados por su progenitor mártir. Aligerando su reacción a las frases inductoras de culpa más comunes, usted adquirirá habilidad para responder con más eficacia a otras manifestaciones y conductas que puedan tomarlo por sorpresa. Dado que se aprende mejor con lo específico, a partir de lo cual se puede generalizar, asegúrese de que su lista de comentarios inductores de culpa sea lo más realista posible. Cuanto más parecidos sean los comentarios a los de su progenitor mártir, mayores serán la atenuación de la culpa y la curación.

La lista de Julie con los cinco comentarios inductores de culpa que su madre solía hacer con más frecuencia es la siguiente:

"¿Así que cuándo vas a casarte? Nos estamos poniendo viejas."

"Eras una chica muy dulce. No sé qué pasó. Pero no me extraña que no te hayas casado... debes de espantar a todos los hombres."

"¿Eso es lo que se usa? Me sentí muy avergonzada delante de mis amigas."

"Estuve enferma toda la semana pero no quise molestarte. Sé que estás muy ocupada."

"Espero que cuando tengas hijos no sean tan desagradecidos como los míos."

Una vez que haya confeccionado su lista, grábela exactamente como la diría su progenitor o pida a un íntimo amigo, su pareja o cónyuge que se la lea con la entonación y el énfasis apropiados. Las primeras veces que escuche su lista de comentarios inductores de culpa tal vez necesite descargar cierta furia contra su progenitor mártir. Con frecuencia, la culpa es furia vuelta hacia nuestro interior. Cuando comience a darse cuenta de cómo lo han estado controlando estos mensajes, se sentirá herido y frustrado. Ahora es la oportunidad de desahogar la ira que su culpa ha estado encubriendo.

Tómese tiempo para descargar su enojo de manera segura y adecuada. Aporree un colchón, grite contra una almohada o golpee un saco de arena hasta que su furia disminuya. Si queda exhausto después de este alivio emocional, asegúrese de tomarse diez o quince minutos para descansar y recobrar la calma. Cuando haya desahogado su furia varias veces estará listo para dar el próximo paso en el ejercicio.

Usted puede experimentar paz interior

En esta técnica desensibilizante de culpa usted irá más allá del dolor y el enojo. Debajo del enojo puede haber tristeza y lágrimas. Encubiertos por la angustia de contener los sentimientos reprimidos están el amor, la alegría y la paz interior.

Desenchufe el teléfono, coloque un cartel de "No molestar" en la puerta, acomódese en una silla y tenga preparado a su lado un grabador o un amigo. Cierre los ojos y respire cinco veces profunda y lentamente, exhalando por la boca. Advierta los efectos sedantes de serenarse. Concentre su atención en los dedos de sus pies y siéntalos relajarse. Deje que su atención recorra su cuerpo en dirección ascendente... pies, tobillos, pantorrillas, rodillas, muslos, caderas, abdomen, espalda, pecho, cuello, rostro y luego manos, brazos... y deténgase en cada parte para sentirla relajarse.

Ahora imagínese flotando en el espacio o tendido en una cálida pradera. Invente cualquier imagen mental que le resulte pacífica, relajante y placentera. Deje que el mundo real desaparezca y que su ensueño lo lleve a la deriva. Desde este lugar interior distendido y seguro, usted se percibe a usted mismo sin autocrítica. Baja sus defensas con alivio. A medida que progresa en la relajación, siente el amor y la paz interior en lo más profundo de su ser.

Cuando se sienta relajado y cómodo, encienda el grabador o indíquele a su amigo que ya está listo. Continúe experimentando la calma y la paz mientras escucha una vez más su lista de comentarios inductores de culpa. Con cada comentario, represente mentalmente a su padre o madre de la manera más realista posible. Repare en sus sentimientos y pensamientos en tanto vayan sucediéndose. Después de cada comentario, deténgase y descanse un momento mientras prosigue relajándose, serenándose y respirando lenta y sosegadamente.

Mientras escucha los comentarios varias veces, es probable que sienta cierta tensión en el pecho, los hombros o el cuello. Tal vez respire de modo entrecortado o le falte el aire. Sin resistirse a los sentimientos y sensaciones que surjan, continúe concentrando su atención en las imágenes pacíficas que inventó en el ejercicio de relajación. No olvide respirar con lentitud y calma, liberándose de toda tensión. Prosiga relajándose, tranquilizándose y sintiéndose en paz. El objetivo de este ejercicio es mantener la mente despejada y en paz aun cuando se enfrente a comentarios inductores de culpa. Sólo después de que haya escuchado cada comentario por lo menos tres o cuatro veces y haya seguido sintiéndose relajado, abrirá los ojos despacio y volverá a la realidad. Es útil repetir este ejercicio varias veces, en particular antes de visitar a sus padres.

En ocasiones, puede que retroceda a las viejas pautas y sienta que comienza a reaccionar automáticamente a uno de los comentarios inductores de culpa de su progenitor mártir. Durante esos momentos, no olvide detenerse, relajarse y escoger una reacción más adecuada. Respirando con lentitud y recordando la paz y relajación que alcanzó en este ejercicio, usted tendrá más posibilidades de manejarse eficazmente con su progenitor mártir. Cuando se "descontrole" y se sorprenda reaccionando con ira, repita el ejercicio. Reejercitar hábitos emocionales no es fácil, pero se logra con paciencia y práctica. Recuerde que en vez de culpar a su progenitor y sentirse una víctima, usted posee habilidades para mantener la ecuanimidad aun al enfrentarse a comentarios inductores de culpa. Ahora tiene dos opciones: una es reaccionar ciegamente, la otra es detenerse, relajarse y elegir.

El niño interno de los padres

Una vez que usted consiga atenuar las reacciones de culpa que solían "volverlo loco", puede dar otro paso útil en el proceso de hacer las paces con su progenitor mártir. Dentro de cada uno de nosotros, no importa cuán adultamente pensemos o actuemos, existe un niño interno que aún arrastra heridas, necesidades y reclamos sin resolver. En el caso de su progenitor mártir, ese niño interior constituye una fuerza poderosa e insistente que no sólo controla los estados de ánimo y el comportamiento parental sino que trata de controlarlo y manipularlo a usted con sus estratagemas inductoras de culpa. A menos que usted sea capaz de comprender y tolerar al niño interno de sus padres, continuará librando una dolorosa guerra que no puede ganar.

Parte de hacer las paces con su progenitor mártir puede consistir en aprender a apreciar las tradiciones, la religión y el origen nacional, los conflictos familiares y traumas de la infancia que hacen que su progenitor sea de determinada manera. Puede resultar importante averiguar y entender las fuerzas sociales, políticas y económicas (como por ejemplo: la emigración a otro país, la época de la Gran Depresión, el crecimiento marcado por privaciones) que afectaron a su progenitor.

El ejercicio que recomiendo a los pacientes es una técnica de visualización que se puede realizar previa visita o llamada telefónica o siempre que usted se sienta engañado o amenazado por un progenitor mártir. Lo único que necesita es una fotografía de cuando él (o ella) era chico. Si no consigue una fotografía vieja, bastará con el recuerdo que usted conserve de alguna fotografía antigua o de haber imaginado cómo habría sido su progenitor de niño. Además, puede recabar información, historias y percepciones de tías, tíos, primos u otros que hayan conocido a sus padres cuando eran niños.

Empiece por mirar la imagen de su progenitor cuando era chico. ¿Qué sentía él o ella en ese entonces? ¿Qué inseguridades y presiones controlaban a ese niño pequeño? ¿Qué se le enseñó a ella que debía hacer para convertirse en mujer, esposa y madre? ¿Qué se le enseñó a él que debía hacer para convertirse en hombre, esposo y padre? ¿Cómo se percibe a sí mismo ese niño interno? ¿Qué conflictos no resueltos lo aquejan?

Puede ser útil que consiga una fotografía de su progenitor de niño o adolescente acompañado de sus padres, hermanos y hermanas. ¿Qué puede usted descubrir acerca de los conflictos internos y necesidades sin resolver de su progenitor al examinar cómo él o ella se ajusta a esa situación familiar? ¿Cómo eran sus abuelos, severos o afectuosos? Observe las expresiones en sus rostros, la manera de sentarse o pararse, el lenguaje corporal visible en las fotografías. ¿Qué presiones agobiaban a su progenitor? ¿Cómo era la relación entre su progenitor y los hermanos y hermanas de él o ella? ¿Eran competitivos, compañeros, afectuosos o fríos? ¿Qué pérdidas y muertes familiares han afectado a su progenitor desde que fue tomada esa fotografía?

Estudie cómo su progenitor se relaciona con los demás en las fotografías. ¿Parece alegre o distante? ¿Orgulloso o tímido? ¿Relajado o tenso? ¿Sonríe de buena gana o incómodo, sólo porque el fotógrafo se lo pidió? ¿Él (o ella) está estableciendo contacto con otros? Si encuentra una fotografía de la boda o la luna de miel de sus padres, fíjese cómo parecen relacionarse. ¿Qué esperanzas y sueños albergaban sus mentes cuando se tomó esa fotografía? ¿A qué luchas y pérdidas han debido enfrentarse en los años siguientes? ¿Encuentra usted una persona sensible, cálida y cariñosa en esas u otras fotografías? De ser así, usted mejorará su capacidad para relacionarse con su progenitor difícil al margen de cómo él (o ella) actúe hoy.

Advertencia: Es importante no adelantarse con demasiada rapidez a comprender el niño interior de sus padres o perdonar a su progenitor. Este ejercicio debe realizarse *después* de que usted se haya liberado de sus resentimientos, desahogado su furia y atenuado su culpa. Si utiliza su perspicacia y comprensión para anular o priorizar su enojo, tal vez termine sintiéndose culpable e inmovilizado emocionalmente. Sin embargo, si aprende a comprender y a tolerar el niño interno de su progenitor *después* de haber elaborado su enojo y sus malestares, será mucho más probable que se muestre más indulgente y relajado cuando esté con su progenitor mártir.

Tal como Julie descubrió acerca de su propia madre, la mayoría de los padres mártires se sentían víctimas y utilizaban comentarios inductores de culpa para llamar la atención mucho antes de convertirse en padres. En la mayoría de los casos, *los incidentes y desilusiones tienen poco, o nada, que ver con lo que usted ha hecho o dicho como hijo de ese progenitor mártir.* Al visualizar a su progenitor de niño o hablar con los familiares y amigos de él o ella, usted descubrirá que el sufrimiento parental tenía antecedentes más antiguos y que este sufrimiento fue más tarde proyectado sobre usted.

Una semana antes de viajar para el casamiento de su primo, Julie conversó una hora por teléfono con la hermana de su madre y después trajo a mi oficina fotografías antiguas de su madre para practicar el ejercicio de visualización. Mientras relataba lo que su tía le había contado, los ojos de Julie se llenaron de lágrimas.

"No es de extrañar que mi madre siempre tema que yo la abandone. Cuando ella tenía siete años, sus padres se divorciaron y sólo vio a su padre unas pocas veces antes de que él muriera. Ahora comprendo por qué se siente tan herida y resentida cada vez que mi padre se va de casa en uno de sus prolongados viajes de negocios. En el fondo, ella sigue siendo esa pequeña niña abandonada que no puede entender por qué sus padres ya no están juntos."

Aunque Julie sentía empatía por el dolor de su madre, también tomó conciencia de que no eran sus acciones las que provocaban ni podían remediar las causas de la infelicidad de su madre. Además, se dio cuenta de que su madre se estaba castigando emocionalmente todo el tiempo. Los comentarios inductores de culpa del tipo de "no eres lo bastante", que su madre solía hacer de tanto en tanto, iban dirigidos no solamente a Julie sino a sí misma.

Expliqué a Julie que por más que quisiera que su madre cambiara, debía renunciar a esa fantasía. "Por más que lo intente, usted jamás podrá resarcirla por lo que a ella le faltó de niña. Cuanto más se esfuerce en ello, más se frustrará, porque no puede deshacer lo que ya está hecho."

Como sugerí a Julie, la mayor contribución que usted puede hacerse a sí mismo y a su progenitor mártir es cuidarse y disfrutar de su vida. Al atenuar su culpa y comprender que no puede borrar el dolor experimentado por el niño interior de su progenitor, usted estará libre para dar a su madre o padre lo que todo progenitor desea en lo más profundo de su ser... la felicidad y el amor de su hijo. En lugar de sacrificarse y sentir resentimiento hacia su progenitor, tendrá la paz interior necesaria para aceptar a su padre (o madre) tal como él (o ella) es. En vez de temer al niño interno de su progenitor y rechazar sus reclamos de atención, usted puede simplemente asegurarle que él (o ella) es especial, importante, amado y comprendido. Esto no significa ser condescendiente o menospreciador con su progenitor. Tener empatía por el niño interno de su progenitor es un ejercicio para ayudarlo a comprender mejor a su padre (o madre) y a manejarse más eficazmente con él o ella.

Durante años había advertido que mi propia madre se sentía dolida, descuidada e insegura de sí misma como madre toda vez que yo no seguía su consejo o desaprobaba su forma de hacer las cosas. Debido a los sentimientos inseguros de su niño interno, nos trabábamos en constantes batallas en las que los comentarios y actitudes de ella implicaban: "Si me amas, harás lo que te digo". Cuando más tarde aprendí a decir con firmeza pero gentilmente: "Mamá, quiero que sepas que te amo incluso cuando no hago exactamente lo que me dices", fue como una revelación para ella. Liberarse de la trampa de la aprobación fue tan positivo para su paz interior como para la mía. Nuestros padres no desean tanto nuestro sacrificio como nuestro amor. Quieren que nosotros sepamos que nos quieren *como mejor pueden*, dadas las experiencias de sus vidas. ¡No olvide que ellos también tuvieron padres!

Evitar quedar atrapado en el melodrama

En el pasado, sus reacciones a su progenitor mártir eran automáticas... luchar o huir, salvador o víctima. Ahora que usted ha aprendido a atenuar su culpa, tiene una opción en cuanto a cómo reaccionar.

Puede dejarse atrapar en el melodrama *o* continuar sintiéndose relajado y sereno incluso cuando su progenitor intente controlarlo empleando la culpa. Aunque guardar la calma mientras su progenitor mártir clama de dolor pueda parecerle una muestra de indiferencia o falta de interés, es todo lo contrario. Como expuse antes, el crecimiento psicológico incluye la integración de valores en apariencia opuestos. No dejarse atrapar por los gritos de socorro de su progenitor mártir le permitirá tener compasión, adoptar una reacción apropiada y no seguir sintiéndose culpable, resentido y víctima. Al mantener la ecuanimidad, usted puede ser más eficaz y también evitar contribuir a más trastornos.

Para realizar cambios duraderos en la relación con su progenitor mártir, tal vez usted deba desarrollar una identidad propia más positiva y renunciar a su papel como parte del melodrama de su padre o madre. Si sus padres continúan peleando y discutiendo entre ellos, usted puede elegir no desempeñarse como el árbitro que siempre queda atrapado en el medio. Si sus padres están continuamente tristes o deprimidos, usted puede escoger no ser el payaso que se siente obligado a levantarles el ánimo. Si sus padres sufren a menudo síntomas psicosomáticos, usted puede optar por no ser un enfermero las veinticuatro horas del día. Su responsabilidad es amar a sus padres, no convertirse en el padre o madre adoptivo y mejor amigo de ellos, en especial si eso implica sacrificar su propia salud y bienestar.

Aunque a veces sea difícil desembarazarse del melodrama que ha persistido en su familia, usted debe reconocer que los papeles que lo ayudaron a sobrevivir en el pasado quizá ya no le sirvan ahora. Si advierte que está atrapado por la culpa o por pautas establecidas de comportamiento que ya no necesita ni desea, no sea crítico con usted mismo. Simplemente reconozca cómo habría podido manejar mejor la situación y, la próxima vez, no olvide detenerse, relajarse y escoger una reacción más apropiada.

Durante su visita para asistir al casamiento de su primo y ver a sus padres, Julie me escribió la siguiente carta, que ilustra cómo evitó quedar atrapada en el melodrama de su madre:

Estimado doctor Bloomfield:

¡Hola! Esta vez decidí alojarme en casa de mi hermana y su esposo. Además de en el casamiento, he visto a mis padres en otras tres ocasiones... un almuerzo, una ida al cine y una fiesta en casa de mi primo. Me alegra poder decir que esta visita ha sido muy diferente de todas las anteriores. Claro que hubo momentos en que tuve ganas de gritar, pero esta vez me sentí más relajada y, de hecho, disfruté estando con mi madre y mi padre.

Sin embargo, en una oportunidad, casi lo arruino todo. Estábamos almorzando y mamá me preguntó: "¿Sigues saliendo con Chris?". Creo que le conté que están preocupadísimos porque me voy a casar con Chris y él no es judío.

Empecé a sentirme culpable y estuve tentada de gritar: "No es asunto tuyo" y salir hecha una furia del restaurante, como alguna vez lo hice en el pasado. En cambio, me recliné en la silla, respiré profundamente un par de veces y miré a mi madre. Luego le dije con calma pero con firmeza: "Mamá, sabes que te quiero aun cuando haga cosas que no apruebes. Chris y yo estamos muy bien y él te manda saludos."

Fue estupendo. No tuve necesidad de justificarme ni defenderme. Me di cuenta de que ella ya no puede obligarme a hacer nada. Mi madre tiene derecho a sustentar sus valores y opiniones. Si ella prefiere que yo no me case con alguien que no sea judío, acepto que sienta de ese modo. ¡Después de todo, ella tampoco tiene por qué amoldarse a mis expectativas!

Al recordar este viaje, debo admitir que *ellos* no se comportaron muy diferentemente de otras visitas. Discutieron y se quejaron mucho y por momentos me dolió ver cómo se agredían mutuamente por naderías. Pero aun cuando jamás vayan a cambiar, ahora puedo darles mucho más amor y no sentirme manipulada. Este es el primer viaje a casa que no me produjo ni jaqueca ni dolor estomacal nervioso.

Le telefonearé cuando regrese a la ciudad.

Cariños,
Julie

Sumiso o desafiante

Mientras que el progenitor mártir utilizaba la culpa para ejercer control sobre usted, el progenitor dictador empleaba el temor y la intimidación para mantenerlo a raya o simplemente para descargar su furia en usted. Al haber crecido con un progenitor habitualmente de mal genio, menospreciador, insensible o autoritario, es muy probable que usted haya adquirido una voz interna mucho más amedrentadora y dominante de lo que alguna vez fueron su padre o su madre. En relación a toda figura de autoridad, este crítico interno dice: "Haz lo que dice *o de lo contrario...* Ya te vengarás después". En consecuencia, su conducta puede fluctuar entre ser sumiso o desafiante, dos opciones que ahora no constituyen una manera eficaz de enfrentar el miedo y la intimidación.

Al reprimir el enojo e internalizar las críticas y amenazas menospreciadoras de sus padres, los hijos de un progenitor dictador sufren a menudo ansiedad excesiva, rebeldía o hábitos autodestructivos. Como resultado de tener que vérselas con un padre o madre dictador, usted se sorprende:

- Deseando renunciar a proyectos, empleos y relaciones con ira desafiante.
- Deteniéndose en la materialización de sus objetivos y sueños como diciendo vengativamente: "Tenías razón. Soy un inútil".
- Abandonándose en forma provocativa a la comida, el cigarrillo, el alcohol o las drogas, como diciendo: "Mira lo que me hiciste".
- Con un jefe, cónyuge o amigos que lo menosprecian tal como lo hacía su progenitor dictador.
- Descargando su enojo reprimido en su cónyuge e hijos.
- Reteniendo el enojo en su interior hasta que estalla o se enferma.

- Ocultando su fuerza y capacidad siendo demasiado débil, "bueno" y dócil para que nadie repare en usted o lo critique.
- Siendo autocrítico en exceso; considerándose "vago", "estúpido" o "feo".
- Estando siempre ávido de aprobación, incluso de personas que no le importan o que difícilmente se la brinden.

Al margen de la intensidad con que usted desee evitar, ignorar o replicar a su progenitor dictador, un paso importante para liberarse de esos síntomas y patrones de conducta es hacer las paces aun con el más difícil de los padres o madres dictadores. Mary, una paciente mía, afrontó un enorme desafío para reconciliarse con su irritable padre, quien por un lado era un buen sostén de su familia y por otro podía ser muy insensible e incluso violento con su esposa e hijos. Para extraer el mayor beneficio de cómo Mary logró hacer las paces con un padre dictador poco comunicativo y autoritario, le pedí que contara su historia.

"Te enseñaré una lección que nunca olvidarás"

"Mi primer recuerdo es haber despertado en mitad de la noche debido a gritos y ruidos provenientes de la cocina. Tenía tres años. Al entrar corriendo en el pasillo, vi a mi padre sosteniendo un gran cuchillo de cocina en una mano. Con la otra, sujetaba a mi madre del cabello. Ella lloraba y gritaba: 'Por favor, Jack, déjame'. Los ojos de él brillaban de furia cuando le contestó: 'Te lo mereces, perra'. Recuerdo haber gritado algo y entonces mi padre me vio y vociferó: '¡Sal de aquí!'.

"Éramos cinco hermanos y hermanas en mi familia. Al menos tres veces por mes, mis padres peleaban violentamente y mi madre solía salir de su cuarto con los ojos amoratados y toda magullada. En una ocasión, los niños nos acurrucamos llorando en una habitación y mi hermano mayor dijo: 'Algún día me vengaré de él'. Yo dije: 'Lo odio... ojalá se muriera', y mi hermana añadió: 'Vámonos de aquí y no regresemos nunca'.

"Cierta vez, mi padre llegó con sus amigos a medianoche y me despertó diciendo: 'Levántate y ayuda a tu madre a preparar algo de comida para mí y mis amigos'. Sin pronunciar una palabra, ella y yo procedimos a cocinar una comida completa. Huelga decir que al convertirme en adolescente, mi padre empezó a tratarme con el mismo recelo y sentido de protección que a mi madre. Ella apoyó mi carrera de bailarina y actriz, pero él jamás lo hizo. En cambio, cuando me ofrecieron hacer una película, su reacción fue: 'No lo harás... todas las actrices son prostitutas. ¿Eso eres tú?'.

"Durante esos años de preadolescencia, cada vez que yo volvía a casa de algún lado, él me miraba con desconfianza y comentaba: 'Sé muy bien qué has estado haciendo, perra'. Recuerdo que me sentía muy confundida y furiosa. Una noche, mi padre estaba golpeando a mi madre y ya no aguanté más. Me acerqué a él y le dije: 'No quieres a nadie excepto a ti mismo. ¡Eres egoísta y despreciable y te odio!'. Entonces él tomó el pilar de la cama, lo arrancó y empezó a pegarme, diciendo: 'Te enseñaré una lección que nunca olvidarás'. Salí corriendo y me oculté en el jardín. A partir de ese momento, comencé a planear mi huida de casa.

"A los quince años, quedé embarazada y mi padre me rechazó por completo. Sus amigos lo visitaban y él pedía a mi madre que me ocultara en un cuarto hasta que se fueran. Cuando llevaba tres meses de embarazo, que apenas se notaba, mi padre ordenó a mi madre que me enviara lejos. Impotente y temerosa, mamá me llevó a un hogar para madres solteras y me dejó allí durante seis meses, sin dinero ni libros para leer ni ropa decente. Tenía instrucciones de no darme nada, aunque mi familia era adinerada. Recuerdo una visita a casa después de haber tenido el bebé y haberlo cedido en adopción. Mi padre salía de la habitación cada vez que yo entraba... un rechazo total, y no me dirigía la palabra. Sin embargo, por sus expresiones faciales, era obvio que sentía ira y hostilidad hacia mí.

"A partir de entonces, mis visitas se redujeron a unos pocos días. Mi intención era siempre comunicarme de alguna forma con mi padre y llegar a algún acuerdo con él. Todos mis intentos fracasaron. Él se volvió más amedrentador y estaba siempre a la defensiva, por lo que yo me decía: 'Olvídalo, todavía no está listo'. Le pedí dinero para pagar mis estudios en la escuela de comercio y me contestó: 'Crees que nado en dinero... la escuela de comercio es un chasco, no te servirá para nada'. Después me arrojó el dinero a la cara. En ese punto de la relación, yo era incapaz de sentir amor o comprensión hacia él. Me sentía incomprendida y abandonada. Sabía que no podía pedirle ayuda porque él me la negaría."

Modifique la perspectiva

Durante los siguientes doce años, Mary vivió lejos de sus padres. Aunque los visitaba con poca frecuencia, continuó en contacto con su madre. Deseaba resolver los problemas con su padre... llegar a comprender el "niño interior" en él. Buscó una fotografía vieja de él y su familia y luego telefoneó a su madre, le describió la fotografía y empezó a formularle preguntas acerca de por qué su padre actuaba como lo hacía. ¿Cómo eran los padres de él? ¿Por qué la madre de Mary permanecía a su lado? ¿Por qué seguía amándolo y cuidándolo? En vez de cerrar su mente a cualquier faceta positiva de su padre o tratar de cambiar el sentimiento de amor de su madre hacia él, Mary comenzó poco a poco a descubrir las presiones e influencias que habían hecho de su progenitor un padre dictador.

Averiguó que su padre había cargado con presiones y responsabilidades tremendas por haber sido el primer hijo varón. Su madre, una mujer muy enérgica e intimidante, nunca cesaba de decirle qué hacer y cómo hacerlo. Cuando los padres de Mary se casaron, la madre de su padre solía insistir en que él comiera la comida de ella y no la de su esposa porque "tu esposa no es católica... no es suficientemente buena para cuidar de ti". A medida que el padre de Mary comenzó a adquirir características más agresivas y a triunfar en los negocios, tuvo que enfrentarse muchas veces a las críticas despectivas e intentos de manipulación de su madre. Hiciera lo que hiciere para mantener y ayudar a sus hermanos y hermanas menores, siempre se le decía que no era suficiente.

Aunque Mary creció percibiendo a su padre como una poderosa figura de autoridad, los relatos de su madre le ayudaron a descubrir que debajo de su apariencia ruda, su padre era una persona insegura y autocrítica que nunca había hecho las paces con *su* progenitor dictador. En la mayoría de los casos, mis pacientes con un progenitor dictador han descubierto que éste tenía la necesidad de ser autoritario y menospreciador para así encubrir un ego frágil o una baja autoestima. En el fondo de todo bravucón existe un niño interior que ha sido intimidado o despreciado. En vez de sentirse responsable o víctima de la furia e insensibilidad de su progenitor dictador, usted debe reconocer que su ira y su dolor no tienen nada que ver con usted. En vez de internalizar las críticas de su progenitor dictador y reaccionar con docilidad o desafío, usted puede elegir reacciones más apropiadas y eficaces.

Cómo adueñarse del poder

Durante los últimos años, Mary se dedicó a elaborar su enojo y resentimientos hacia su padre. Hacer una lista de sus resentimientos, manejar su enojo en forma constructiva y aprender a perdonar a su padre le resultaron medidas particularmente útiles.

También comenzó a experimentar en la búsqueda de formas de relacionarse con su padre que fueran más allá de las superficiales e insatisfactorias llamadas telefónicas. Cada vez que la madre de Mary la llamaba y pasaba el teléfono a su padre, éste decía de modo abrupto y con frialdad: "¿Todo bien? Me alegro; te doy con tu madre".

Al principio, Mary trató de iniciar la comunicación con su padre escribiéndole una larga carta en la que describía cuánto deseaba llegar a conocerlo como persona y resolver las diferencias entre ellos. Nunca recibió una respuesta. Luego intentó conversaciones telefónicas. No obstante, su padre las interrumpía con brusquedad y pasaba el teléfono a la madre.

A pesar de la frustración que la embargaba luego de cada tentativa de acercarse a su padre, Mary sabía que todavía era algo que deseaba lograr. Sin embargo, también se daba cuenta de que siempre que le escribía, lo llamaba o hablaba con él, permanecía temerosa y acobardada, como si él fuera un gigante todopoderoso. Aunque ahora era adulta, en el fondo de su ser seguía sintiéndose como una niña asustada enfrentando a un hombre que ella percibía como mucho más fuerte y amenazante de lo que era en realidad.

Cuando Mary se sentía particularmente impotente, realizábamos un ejercicio de papeles que ha sido beneficioso para muchas personas que se consideran intimidadas por su progenitor dictador. Este ejercicio puede efectuarlo solo o con un amigo íntimo. Sólo requiere una buena disposición para desempeñar papeles y experimentar todo aquello que surja del ejercicio.

146

Pedí a Mary que se sentara en el piso y levantara la vista mientras yo me paraba en una silla elevándome sobre ella. Desde esa perspectiva, en la que yo era más del doble de su tamaño, Mary dijo que podía imaginar cuán indefensa y diminuta se sentía de niña frente a su padre dictador. En tanto yo la miraba furioso y le gritaba algunas frases airadas e intimidantes que ella había oído usar a su padre una y otra vez, podía ver cómo Mary se encogía de temor al tiempo que se intensificaban sus resentimientos y su enojo.

Luego intercambiamos posiciones de modo que yo me senté en el piso y ella se paró en la silla. Alzándose sobre mí y gritándome aquello que deseaba haber dicho a su padre, por primera vez, Mary tomó conciencia de su poder. Ya no era la niña indefensa enfrentándose al poderoso gigante. Ahora, al haberse adueñado de su poder, era más libre para convertirse en una persona confiada y eficaz en el trato con su padre. Ya no más a merced de él, Mary podía entablar una relación de adulto a adulto.

El logro final

Durante la siguiente conversación telefónica con su padre, Mary le dijo: "No quiero tener otra conversación superficial contigo, papá. Antes de que mueras, deseo que nos comuniquemos de una manera positiva". Después de una pausa, él admitió que se sentía confundido e inseguro acerca de las intensas emociones que ella había expresado en la larga carta que le había enviado hacía unos meses. También

147

le dijo por primera vez: "Estoy dispuesto a hablar contigo si eso es lo que deseas".

Sin embargo, la siguiente vez que ella lo llamó y dijo estar lista para comentar algunas cosas que había tenido en mente durante años, su padre contestó: "Ahora no, tu madre salió. Debo irme". Mary se enojó muchísimo y decidió volver a llamarlo. Dijo: "Papá, de la única manera que nos comunicamos es por teléfono y me duele llamarte y que no tengas tiempo para hablar conmigo". Cuando me describió la llamada telefónica, Mary confesó: "¡Me sentí tan orgullosa de haber superado mis sentimientos de intimidación! Normalmente, habría acarreado ese enojo conmigo. Esta vez le hice saber cómo me sentía y terminamos sosteniendo una maravillosa conversación acerca de lo que estaba sucediendo en nuestras vidas."

Hace poco, Mary visitó a sus padres. Era su primera visita en tres años. Según cuenta Mary: "Mi madre había organizado una fiesta para mi esposo y para mí. En cuanto el avión aterrizó, empecé a sentirme ansiosa y excitada. Llegamos a la casa y yo me abrí paso entre el grupo de familiares y amigos, diciendo: 'Primero tengo que ver a mi padre'. Supongo que hasta ese momento, todavía dudaba de si realmente podría perdonarlo o aceptarlo tal como era. Entonces lo vi sentado allí, con sus enormes ojos marrones mirando en mi dirección. Me arrojé a sus brazos y lloré. Durante esos preciosos minutos con mi padre, sentí que me liberaba de mi odio hacia él. Aunque no podía excusar la forma en que había tratado a mi madre y al resto de nosotros, ahora sentía compasión y comprensión en relación a él. Y él me trasmitió sus sentimientos sin palabras. Me sentí plena."

Si bien la mayoría de nosotros ha tenido la suerte de no haber estado expuesto a la violencia física de niño, de todos modos hemos sido afectados por la "violencia emocional" y la intimidación en nuestras familias. Existen muchas maneras de asustar e intimidar a los niños además de golpeándolos... ya sea que su progenitor dictador haya expresado su enojo con los puños, palabras o amenazas, el efecto es casi siempre el mismo.

La culpa y la intimidación se utilizan en todas las familias. Parte de crecer es hacer las paces con los medios coercitivos que sus padres emplearon en lo que supusieron era para su bien.

Siempre hay posibilidades

De tanto en tanto, escucho decir a mis pacientes: "Estoy seguro de que, en general, estas técnicas funcionan, pero mi caso es diferente. Mi progenitor 'difícil' es demasiado". Eso puede ser cierto en el sentido de que no importa lo que usted haga o diga, su progenitor "difícil" continúa exhibiendo la misma conducta que antes. Sin embargo, eso no significa que usted ha fracasado en hacer las paces con su madre o su padre. *Los cambios en el comportamiento parental no constituyen una medida de su propio progreso.*

Si trabaja a conciencia con sus resentimientos, aprende a expresar amor y enojo constructivo y atenúa la culpa e intimidación con su progenitor "difícil", *lo que su padre o su madre haga o diga ya no tendrá poder de control sobre su salud y su bienestar.* Si al menos logra hacer las paces con sus padres dentro de su mente, habrá dejado de culparlos por sus problemas y de depender de ellos para sus necesidades, autorrespeto o paz interior. Eso puede significar liberarse de los lazos financieros y emocionales que le han hecho abstenerse de cuidar de usted mismo. Eso puede incluir desembarazarse de las expectativas y reclamos no realistas que usted deposita en sus padres aun cuando haga tiempo que ellos ya no los satisfagan. Para cada uno de nosotros, significa *dejar de ser una víctima en la relación con nuestros padres.*

La mayoría de las personas que continúan sufriendo a causa de sentimientos incompatibles y no resueltos con sus padres están esperando algo que puede no ocurrir jamás. "Si hicieran o dijeran..., los perdonaría." "Si aceptaran que yo..., entonces haría el esfuerzo por llevarme bien con ellos." "Si dejaran de hacer o decir..., sería más tolerante con ellos."

Aunque el alcoholismo, la drogadicción o la inestabilidad emocional de su progenitor dificulten la comunicación y la confianza, usted *puede* hacer las paces con ese progenitor sin requerir que él o ella cambie. Incluso si su padre o madre o ambos se niegan a aceptar su opción profesional, su elección de cónyuge o su identidad sexual como homosexual, bisexual o lesbiana, usted *puede* poner punto final a la contienda emocional haciendo las paces con los padres dentro de su mente. Aun cuando su progenitor sea poco cariñoso, inaccesible o haya muerto, usted *puede* y debe satisfacer sus necesidades emocionales para recobrar la paz interior.

El problema fundamental de tratar con padres inaccesibles o difíciles no son los comentarios o actitudes que a usted lo irritan. En vez, el origen del dolor emocional y la distancia psicológica ha sido su incapacidad para expresar los sentimientos reprimidos de amor que usted abriga por su madre y padre. Para Mary, Julie y miles de otros, aprender a aceptar y amar a un progenitor difícil demandó tiempo y esfuerzo, pero no fue imposible. En todos los casos, el éxito sobrevino a medida que los individuos aprendían a crecer y a aceptar a sus padres tal como son. Lo que les resultó muy útil en este proceso fue aprender a visitar a sus padres sin expectativas no realistas y a hacerse cargo de sus propias necesidades de apoyo emocional a través de la formación de una "familia sustituta".

Adopte una familia sustituta

Por "familia sustituta" me refiero a los grupos de apoyo emocional que todos necesitamos en el trabajo, con amigos, en las actividades comunitarias y para la diversión en tiempo libre. A menos que usted evalúe sus actuales necesidades insatisfechas, emocionales, de asesoramiento, de cuidado y atención, continuará acudiendo a sus padres por necesidades que ellos difícilmente satisfarán. En vez de sentir resentimiento por lo que sus padres no pueden darle (y ningún padre o madre puede colmar todas nuestras necesidades), aquellos que han hecho las paces con sus padres lo lograron formando amistades y redes de apoyo.

Aunque Julie había estado sola durante varios años, aún no había desarrollado una red de apoyo fuerte. Dado que su madre nunca había cesado de decirle cuando era niña: "No debes ventilar los asuntos familiares... lo que suceda entre miembros de una familia no es incumbencia de nadie", Julie se daba cuenta de que era incapaz de confiar sus problemas o de pedir ayuda, ni siquiera a sus mejores amigas. Cuando sus amigos planeaban aventuras de fin de semana o reuniones informales, Julie a menudo estaba "demasiado ocupada" para sumarse a la diversión. Aunque se consideraba una defensora de los derechos de la mujer, dependía de sus novios para estar acompañada y era renuente a unirse a grupos de apoyo femenino o entablar amistad estable con algunas de sus compañeras de trabajo. A nivel emocional, Julie había aprendido a no confiar en nadie.

Durante los meses en que Julie trabajó con sus sentimientos de culpa y responsabilidad por los problemas de su madre, comenzó a explorar distintas maneras de satisfacer sus necesidades de apoyo emocional. En vez de considerar a sus compañeras de trabajo como competidoras, empezó a bajar sus defensas sociales. Eligió a dos mujeres con quienes empezó a compartir almuerzos, sentimientos y paseos de fin de semana a museos, plazas y conciertos. En el trabajo, comenzó a delegar más en aquellos con menos tareas. Por la noche, empezó a planificar actividades informales y relajantes en marcado contraste con las incesantes llamadas a clientes que solían ocupar sus horas.

Como explicó Julie: "Cuanto más aprendí a hacerme cargo de mis necesidades, menos resentida me sentí por el hecho de que mi madre no compartiera mis intereses y valores. En la medida en que empecé a disfrutar más de mis amigos, mi madre no sólo no se enojó sino que pronto comenzó a imitarme. Al ver que me he acercado a otras personas y pedido ayuda, ella se ha vuelto más confiada, desde el punto de vista de fiarse de sus amigas y comenzar un programa de ejercicios dos veces por semana. Aunque ya no intento aconsejarla, sigue mi ejemplo como nunca antes. En cuanto a mis clientes, están aprendiendo a depender menos de mí y a satisfacer sus propias necesidades emocionales. Estoy permitiéndoles crecer. Ya no tengo que seguir tratando de salvarlos."

Durante el tiempo en que Mary vivió apartada de sus padres, suplió sus necesidades de apoyo y asesoramiento "adoptando" padres, modelos ejemplares y amigos que podían darle el amor y respeto que su padre no podía. Mary explica: "Al provenir de una familia muy unida y numerosa, estaba acostumbrada a tener mucha gente alrededor, mucha intimidad y contacto estrecho. Cuando me fui de casa, extrañé eso mucho más de lo que extrañé a mis padres. Poco después de mudarme a otra ciudad, encontré otra familia, con madre, padre y dos hijos, que se convirtió en un sistema de apoyo para mí. Me invitaban a pasar con ellos la Navidad y las Pascuas. Me daban todo el amor y los consejos que yo necesitaba en ese entonces. Al igual que cualquier familia normal, tenían problemas de vez en cuando, pero como era una familia mucho más saludable y positiva que la mía real, me resultaba más fácil ser yo misma con ellos.

"Irónicamente, la familia sustituta que elegí terminó entablando amistad con mi madre y hermanos y hermanas reales. Hemos permanecido en contacto a lo largo de los años, y cuando mis padres organizaron la fiesta para mi esposo y para mí, mi 'familia adoptiva' estuvo presente".

Adoptar una familia sustituta no tiene que constituir un acto de rebelión y desafío hacia sus padres; más bien, puede ser en beneficio de ellos. *Cuanto más feliz sea usted y satisfaga sus necesidades, más podrá aprender a aceptar y amar a sus padres sin intentar cambiarlos.* No les eche en cara su sistema de apoyo sustituto, no haga comparaciones ni diga: "¿Por qué no pueden ser como ellos?". Si a sus padres les da celos o les molesta que usted pase más tiempo con su familia sustituta o su red de apoyo, lo más probable es que estén expresando que lo extrañan. En vez de enojarse o sentirse culpable, sólo perciba el amor inherente en el deseo de sus padres de estar con usted.

Su responsabilidad es concentrarse en lo que resulte útil. Cuando le sea difícil sentirse relajado y alegre con sus padres, planifique cenas y reuniones de "estilo familiar" con sus amigos. En ocasiones, mezclar a los amigos con la familia también sirve para aligerar las tensiones y ayudar a que usted y sus padres lo pasen mejor.

En algunos casos, usted necesitará liberarse de su familia para proporcionar el tiempo y la distancia necesarios para cortar amarras, crecer y sanar la relación con los padres en su mente. Si su progenitor "difícil" es alcohólico, abusivo, un trastornado emocionalmente o demasiado dominante, la mejor manera de hacer las paces con él o ella es, primero, liberarse usted mismo y luego, restablecer un marco más saludable para relacionarse el uno con el otro. Cuando usted fije límites y exija su libertad a un progenitor mártir, él (o ella) tal vez intente hacerlo sentir culpable. Del mismo modo, su progenitor dictador quizá se enoje y trate de intimidarlo para que usted continúe dependiendo de él. Lo que inicialmente pueda parecer una "separación" de sus padres es muy probable que constituya la clave de un *logro* importante en la relación. Liberarse de viejas pautas, aun cuando signifique dejar de verse en forma temporaria, es el primer paso necesario para que la relación mejore para ambos.

En vez de sentirse culpable o temer la reacción parental por el hecho de que usted satisfaga sus necesidades en otro sitio, debe comprender que tiene que volverse más independiente y confiado en sí mismo antes de poder hacer las paces con ellos. ¡Siendo adulto, no es ningún crimen no necesitar nada de sus padres! Aunque ellos hayan creado una "trampa afectuosa" con la que han mantenido el control sobre sus finanzas, valores y emociones de modo tal que usted ha terminado sintiéndose cómodo pero dependiente, aún tendrá que aprender a ser independiente.

El dinero se utiliza con frecuencia como un instrumento de chantaje emocional. Algunos padres emplean el dinero y los recursos financieros para controlar y manipular a sus hijos mucho después de haber abandonado éstos el nido. En otros casos, la promesa de una herencia parental resulta un excelente medio de intimidación y control. El dar o negar dinero puede emplearse para influir en su elección profesional, de pareja, estilo de vida o valores, así como para controlar la frecuencia con que usted visita, llama o escribe a sus padres.

Como adulto, usted debe reconocer que ya no puede seguir siendo chantajeado emocionalmente sin su consentimiento. La independencia financiera es una parte de la independencia emocional. El propósito de adoptar una familia sustituta o una red de apoyo es ayudarlo a descubrir que usted *puede* encontrar sustento emocional, pertenecer a un grupo y tener arquetipos positivos, amor y afecto sin condicionamientos ni controles. Recién entonces podrá vérselas eficazmente con sus padres en una relación adulto-adulto saludable y genuina.

Pautas para una visita

Muchos clientes que viven en las mismas comunidades que sus padres afirman sentirse atrapados, obligado o frustrados por visitas rutinarias. En vez de constituir actividades placenteras motivadas por un deseo auténtico, las visitas a los padres asumen la cualidad opresiva de obligaciones. Hasta los clientes que viven a gran distancia de sus padres se sienten igualmente atrapados cuando pasan siete o catorce días seguidos compartiendo el mismo techo con ellos. Nunca dejo de asombrarme cuando escucho a adultos exitosos, creativos e independientes describir su absoluta obediencia, culpa y falta de autoconfianza en lo que hace a la relación con sus padres. ¡Muchos médicos, abogados o presidentes corporativos son controlados o intimidados por sus padres!

Además de hacer las paces con los padres dentro de su mente, un paso crucial para mejorar la relación con ellos es fijarse pautas firmes y eficaces para que cada visita resulte un éxito. ¡Para dejar de sentirse agobiado y comenzar a disfrutar de las reuniones familiares, quizá deba reconocer *que usted y sus padres podrían no estar hechos para ser íntimos amigos*! No tiene sentido que usted resigne todo su poder y permita que sus padres le ordenen a quién ver, qué hacer y cómo actuar cuando los visita. Ni tampoco tiene que suponer que les está haciendo un favor con sus visitas. ¡Ellos pueden estar tan descontentos como usted de la calidad de las reuniones! El círculo de extrañarse, desilusionarse de la visita y luego resentirse puede ser tan doloroso para ellos como para usted.

Basadas en las experiencias de miles de individuos, incluido yo mismo, que han hecho las paces con sus padres, a continuación figuran algunas pautas que usted podría considerar para que sus visitas sean más positivas:

- *Antes de la visita, haga los ejercicios que prevendrán los conflictos que anticipa.* Las técnicas para elaborar los resentimientos, el enfado, la culpa e intimidación pueden eliminar mucho de la agitación interior y conflicto potencial *antes* de que sucedan. ¡Utilizando diligentemente los ejercicios esbozados en este libro usted podrá asumir con seguridad que más vale prevenir que curar!

- *Establezca un límite de tiempo definitivo a la duración de su visita.* En vez de perder toda la visita negociando, defendiendo o disculpándose por la duración de la misma, concéntrese en la calidad y no en la cantidad. Si un almuerzo de noventa y cinco minutos constituye una visita exitosa, no se sienta culpable y permanezca seis horas en cambio. Si tres días es todo el tiempo en que usted y sus padres se llevan bien, no insista con que "el amor significa tener que compartir el mismo techo durante dos semanas".

- *Haga saber a sus padres por adelantado qué otras actividades y personas figuran en su programa.* No tiene que estar todo el tiempo con ellos, que ellos pueden tener su vida propia. Y además de verlos, usted quizá desee hacer una variedad de cosas. Si la totalidad de la visita consiste sólo en atender obligaciones y ver a parientes, ni usted ni sus padres estarán de ánimo para disfrutar el uno del otro. Si tiene ganas de encontrarse con viejos amigos, pasar un momento en privado con otras personas o simplemente estar a solas con su cónyuge o pareja, hágaselo saber a sus padres por adelantado de modo de poder satisfacer sus deseos sin discusiones ni resentimientos.

- *No tema establecer algunas normas de procedimiento.* Si sus padres no pueden evitar criticar su casa, sus muebles o sus hijos, visítelos en casa de ellos o en algún sitio neutral. Cuando usted esté emocionalmente perturbado a causa de un divorcio, la pérdida de empleo o una enfermedad y no desee escuchar los consejos de sus padres, no se sienta culpable por posponer la visita o limitar los temas de discusión.

- *Si usted viaja para visitar a sus padres, alójese con amigos o en un motel cercano.* Darse tiempo para relajarse después de un vuelo largo, el espacio para serenarse y atenuar sus enfados y la oportunidad para realizar los ejercicios de desahogo cuando fueran necesarios, incrementará su posibilidad de disfrutar del tiempo que pase con sus padres. Además no tendrá que disculparse por sus diferentes hábitos de vida, preferencias alimenticias o necesidades de privacidad.

- *Permanezca saludable y en forma durante su visita.* En vez de permitirse retomar viejos hábitos de la época en que vivía con sus padres (y luego enojarse con ellos por su aumento de peso y letargo), no olvide ejercitarse, meditar, comer alimentos sanos y ligeros y relajarse siempre que pueda durante su visita. Y no intente "reformar" a sus padres. ¡Ellos tienen derecho a su propio estilo de vida y hábitos de salud, ya sea que usted los apruebe o no!

- *Prepare a su cónyuge o pareja de modo que puedan apoyarse mutuamente durante la visita.* Si visita a sus padres con su cónyuge o pareja, asegúrese de que esa persona comprenda y esté preparada para vérselas con cualquier conflicto emocional por el que usted esté atravesando. Esté también atento a las necesidades de él o ella en caso de que su compañero se sienta abandonado, excluido o incómodo en algún momento durante la visita. ¡Tenga cuidado con la trampa de la aprobación! Su cónyuge o pareja no tiene que enamorarse de sus padres ni sus padres tienen que adorar y admirar a su compañero. Sin tener que mediar ni justificar los sentimientos de nadie, estará bien con que las cosas sean simplemente cordiales.

- *Si lleva a sus hijos con usted, no los agobie con el peso de la visita.* A veces, usted y sus padres evitarán hablarse y, en cambio, pasarán todo el tiempo observando "qué hacen" los niños. Eso puede no sólo ser cansador para los niños sino impedir que usted resuelva los problemas con sus padres. En algunos casos, ciertas parejas actúan como si tres días con sus padres... con hábitos alimenticios, estilos de disciplina y recompensas distintos... fueran a malcriar o perjudicar a sus hijos. En vez de temer que sus padres "arruinen" a sus hijos, concéntrese en cambio en los sentimientos, resentimientos y conflictos sin resolver que despierte en usted el observar a sus padres jugar e interactuar con sus hijos. Puede aprender mucho acerca de usted mismo y su infancia observando atentamente, sin tener que "salvar" a sus hijos.

- *Considere las visitas como una oportunidad para crecer, no como una obligación penosa.* En vez de evitar o negar los conflictos, acepte que de tanto en tanto se suscitarán problemas. ¡De hecho, asuma que lo harán! A medida que continúe haciendo las paces con sus padres, considere cada conflicto potencial como una oportunidad de ser más eficaz en expresar su enojo de manera constructiva, fijar límites efectivos y aprender a expresar su amor y aceptación. Favorezca lo positivo pero no sea poco realista en sus expectativas. Al reconocer el niño interior dentro de su padre o madre y recordar que necesita detenerse, relajarse y escoger las reacciones apropiadas, será recompensado con más sentimientos de amor y paz interior.

5

CÓMO DESCIFRAR
LOS MENSAJES SEXUALES

¿Alguna vez se ha dado cuenta de lo atestada que puede llegar a estar su habitación? Usted está allí con su cónyuge o pareja, pero apiñados alrededor se encuentran sus temores, recuerdos de desilusiones pasadas, resentimientos, presiones, creencias religiosas y valores sociales así como imágenes que ha recogido del cine y la publicidad. Sus padres y los padres de éstos ocupan un espacio importante del cuarto. Los conflictos, actitudes y reglas de ellos también influyen en usted. Aunque no se dé cuenta, todas estas fuentes le están enviando mensajes sexuales que quizás estén interfiriendo con su capacidad para dar y recibir amor.

Como se lamentaba un personaje de un cuento corto de Woody Allen: "Recuerdo no haber podido hacer nada con una mujer muy sexy... porque cierto movimiento de su cabeza me hacía acordar a mi tía Rifka".

Muchas personas afirman que sus padres no les enseñaron nada acerca de la sexualidad. Sostienen: "Mis padres no querían hablar del tema y nunca los vi 'haciéndolo'". Sin embargo, ya sea que el sexo fuera discutido abiertamente o apenas mencionado durante su infancia, usted aprendió muchísimo a partir de una variedad de indicios indirectos y sutiles. El matrimonio de sus padres, bueno o malo, constituyó su primer acercamiento a una relación adulta y ayudó a modelar sus actitudes sobre el amor, la felicidad y la sexualidad. Muchos de los mensajes sexuales que hoy afectan su vida de adulto los aprendió simplemente observando las interacciones de sus padres.

Por ejemplo, si sus padres discutían mucho, usted puede haber crecido pensando "el amor es una lucha". Si se herían mutuamente, quizás adquirió la creencia que "siempre herimos a quienes amamos". Si su padre abandonó a su madre, murió cuando usted era joven o no cumplió sus promesas, puede haber decidido "no se puede confiar en los hombres". Si su madre era inaccesible o manipuladora, tal vez usted haya desarrollado una actitud por demás generalizada de que "las mujeres son dominantes". Los mensajes sexuales que aprendimos de nuestros padres no siempre fueron negativos. Por ejemplo, si su madre y su padre eran abiertamente afectuosos, si apreciaban el uno al otro o se sentían a gusto con su sexualidad, es muy probable que usted haya crecido con una actitud saludable acerca del amor y las relaciones sexuales.

Las actitudes sexuales y temores parentales le fueron trasmitidos a través de mensajes verbales o no verbales y quizá todavía influyan en sus sentimientos acerca de las caricias, los abrazos, el placer, el compromiso y el matrimonio. Por ejemplo, si su madre (o su padre) era inaccesible o poco cariñosa, usted puede haber internalizado el mensaje "no soy querible" o "nunca recibo lo que deseo". Si su padre dejó de besarlo o abrazarlo cuando usted entró en la pubertad, puede haber sentido (como mujer) "el sexo es sucio", o (como varón) "tocarse es de 'afe-minados'". Si sus padres eran tradicionalistas, usted tal vez haya sido presionado para adaptarse o rebe-larse contra los estereotipos de que "las chicas bue-nas no hacen eso" o que "los hombres de verdad lo hacen".

Concédase permiso

Para empezar a descifrar sus mensajes sexuales, usted necesita examinar el modo en que se le ense-ñó a contenerse sexualmente, a separar el amor del sexo, o a negar y reprimir sus sentimientos de afec-to. Por ejemplo, ¿puede disfrutar de sus sentimientos sexuales sin sentir culpa o ansiedad por su desem-peño? ¿Puede enamorarse sin sentirse asustado o atrapado? ¿Puede pedir y recibir satisfacción sexual sin sentirse egoísta, indigno o avergonzado?

Pese a la "revolución sexual", muchas personas todavía se sienten culpables por experimentar altos grados de placer. Pueden desempeñarse como acróbatas para complacer a sus parejas, sin embar-go, a menudo quedan con un gran vacío en lo que hace a su propio placer. Son capaces de triunfar en el trabajo, los deportes y actividades intelectuales, no obstante son incapaces de expresar plenamente su amor. Son maduras en muchos campos de sus vidas, pero sus relaciones sexuales las colman de frustración.

Si sus padres le enseñaron que el placer es una recompensa reglamentada que debe ganarse, tal vez usted nunca aprendió que merece ser satisfecho. El placer sexual puede estar muy abajo en la lista de sus prioridades importantes en la vida. La relajación y la sensualidad a menudo se consideran egoístas o hedonistas y, basándose en los preceptos que le enseñaron de niño, usted quizá se sienta avergonzado de desear gozar "cuando hay trabajo que hacer".

En la mayoría de los casos, sus padres no se limitaron a expresar los sentimientos *de ellos* acerca del placer y la sexualidad; los mensajes sexuales fueron reforzados con referencias a figuras de autoridad absolutas tales como "la Biblia prohíbe", "una 'buena' persona jamás", "los médicos dicen que es anormal" o "no se lo cuentes a nadie". Sus padres o maestros religiosos tal vez le enseñaron que el placer es sinónimo de pecado o que la virtud resulta de negarse a uno mismo, en especial con respecto al sexo. Aun cuando sus padres no sustentaran estos valores, quizá deseaban "protegerlo" para que usted no fuera excluido de una sociedad con valores más rígidos.

Redescubra su sexualidad

El placer sexual no es una recompensa que uno debe esperar ni una obligación que soportar. No es una obsesión dañina o una tentación maligna. El amor y el sexo son fundamentales para su bienestar físico, psicológico y espiritual. Los maestros espirituales más profundos han afirmado que el amor está en el centro de nuestro ser. Los psicólogos y médicos han sabido durante años que la expresión sexual es clave para la salud, mientras que los temores, ansiedades y frustraciones sexuales constituyen una fuente de angustia emocional y física. En vez de algo que usted deba evitar o limitar, el placer es una indicación de salud que incluye la capacidad gozosa de dar más a otros.

El placer sexual no deriva de la intensidad, la cantidad o la frecuencia, sino de compartir amor y convertirse en una persona más afectuosa. Si el sexo se ha transformado en una rutina aburrida o si su relación ha perdido su encanto original, descifrar sus mensajes sexuales intensificará la intimidad. Si está cansado de las relaciones a corto plazo y distantes, quizá sea hora de derribar las barreras emocionales adquiridas en su infancia. Si siente que siempre está tratando de complacer a su compañero y no logra sentirse satisfecho, reexaminar sus actitudes acerca de la sexualidad y el placer le ayudarán a aliviar el problema.

La cuestión básica para descifrar los mensajes sexuales es decidir qué controlará su sexualidad, si usted o sus actitudes adquiridas externamente. Aceptar a ciegas o rebelarse a ciegas contra los valores parentales no es la respuesta. El secreto de la sexualidad adulta sana es aceptar su educación al respecto, evaluarla y afirmar sus propias creencias. Su crecimiento psicológico incluye la integración de los valores en apariencia opuestos de *libertad* y *control*. La libertad resulta cuando usted se libera de la información sexual errónea que tomó de otros, en especial de las inhibiciones y presiones relacionadas con su desempeño. Control significa escoger aquello útil para usted como individuo y aprender a decir "No". Tener que representar o expresar sus fantasías de modo compulsivo no es libertad en absoluto.

Establezca reglas propias

¿Posee usted valores y preferencias sexuales propios? ¿O, como muchas personas, sigue rígidamente o de lo contrario se rebela contra las actitudes sexuales que sus padres, sus semejantes y la sociedad han determinado para usted? Al examinar las formas en que se contiene sexualmente o se abstiene de pedir lo que desea a su cónyuge o pareja, descubrirá quién establece las reglas en su vida... usted, sus mensajes sexuales, o nadie.

El caso de Lois es un buen ejemplo de cómo cada uno de nosotros debe descubrir por sí mismo qué desea del amor y la intimidad. Lois, una alta y esbelta mujer de treinta y ocho años, tenía veinte cuando conoció a su esposo, Richard, y se casó con él. Quedó embarazada enseguida y abandonó la universidad faltándole poco para graduarse. Cuando vino a verme, era madre de dos hijos de dieciséis y doce años. Se enorgullecía de ser una "supermadre", así como una esposa dedicada. Además, había empezado a trabajar hacía poco como secretaria médica para contribuir a los ingresos familiares.

Durante meses, Lois había estado sufriendo ataques de ansiedad acompañados de una sensación de mareo y debilidad, aceleración del pulso y en ocasiones, hiperventilación. Como los ataques fueron intensificándose, Lois se sentía tan ansiosa que comenzó a faltar al trabajo. Incapaz de conciliar el sueño, temía estar sufriendo un "colapso nervioso". Su esposo insistía en que el problema era resultado de un exceso de trabajo, pero Lois intuía que había algo más.

Cuando vino a mi consultorio, Lois me dijo que los ataques habían empeorado luego de un incidente ocurrido seis semanas atrás. Durante la hora del almuerzo, había estado curioseando en una librería y conocido a un hombre inteligente y apuesto que, luego de una placentera conversación, le entregó su tarjeta y sugirió: "Si algún día quieres que almorcemos, por favor, llámame".

Lois mantuvo en secreto el encuentro, escondió el número telefónico en su escritorio en la oficina y trató de no pensar en el atractivo desconocido; pero una semana después, le telefoneó impulsivamente y le pidió que se encontrara con ella en una confitería cercana para almorzar. Durante el almuerzo, el hombre le dijo: "Eres muy atractiva y no he dejado de pensar en ti desde que te conocí. Si tienes alguna tarde libre...".

Lois no contestó, pero empezó a fantasear con él. A la semana siguiente, estaba haciendo mandados cuando se detuvo en una cabina telefónica y lo llamó. Entusiasmado por el llamado, el hombre le indicó cómo llegar a su apartamento. Después de dos tragos y el comienzo de un masaje en la espalda, Lois se sentía muy excitada pero descubrió que no podía llevar el asunto a su término. Disculpándose profusamente, se apresuró a salir del apartamento y llegó a su casa justo a tiempo para recibir a los niños de vuelta de la escuela.

A la noche siguiente, invitaron a cenar a la madre de Richard. Mientras lavaba los platos después de la cena, Lois estaba sola en la cocina cuando el pecho pareció cerrársele dificultándole la respiración. Se sintió mareada y tuvieron que acompañarla a su habitación donde permaneció en cama hasta que recobró el aliento.

Cuando pedí a Lois que me contara qué sentía con respecto a su vida antes de su "casi aventura", los ojos se le llenaron de lágrimas. Respondió que amaba a su esposo y a sus hijos; sin embargo, era desdichada en su matrimonio y se sentía particularmente frustrada por no ser una mejor amante para su esposo. Según Lois: "Richard es muy físico y apasionado, pero parece que yo ya no tengo muchas ganas de hacer el amor. La mayoría de las veces no alcanzo el orgasmo. Durante los últimos años, he vivido el sexo como una carga y un deber rutinario." El mero hecho de pensar en una aventura amorosa la llenaba de culpa y deseaba encontrar alguna manera de mejorar la vida sexual con su esposo.

Lois también describió la presión que sentía por no ser una madre y esposa "lo bastante buena". "Tengo que trabajar porque necesitamos el dinero. Pero Richard se lo pasa diciéndome que debería estar en casa con los niños después de la escuela. Su madre me acusa de desatender mis responsabilidades. Mi madre cree que debo quedarme en casa y no entiende por qué necesito trabajar. Entre los tres, tengo un coro incesante de consejeros diciéndome cómo manejar mi vida. Ya no aguanto más."

Como tarea del hogar, pedí a Lois que redactara una lista de los mensajes sexuales que estaban controlándola... no sólo acerca de la sexualidad en su sentido más estricto, sino también sobre los roles sexuales, la familia, el amor, el matrimonio, el placer y el goce sensual. A lo largo de la semana siguiente, escribió una extensa lista de sus "deberes", "obligaciones" y "responsabilidades" que incluían:

- "Debo estar siempre linda y contenta."
- "La casa es mi responsabilidad. Debo asegurar que los chicos hagan los deberes, estén limpios, bien alimentados y se porten correctamente... Richard sólo tiene que sacar la basura."
- "Debo llamar a la madre de Richard todos los días pero tener cuidado de no irritarla."
- "Debo ser más sensible en la cama y desear hacer el amor con más frecuencia. Me dijeron que cuando una está enamorada, el sexo es algo magnífico."
- "Mi madre me advirtió que no dejara escapar a un buen hombre, que tuviera hijos enseguida de casarme y que hiciera cualquier cosa para conservar intacta mi familia."

El síndrome de "seré feliz cuando"

Después de confeccionar la lista, Lois empezó a comprender por qué, al cabo de diecisiete años de seguir las recetas de sus padres y ahora de su suegra para un matrimonio dichoso, todavía no era feliz. Casi todos sus mensajes sexuales prometían que si ella se privaba de gozar para complacer a su esposo, él a su vez la complacería y ella sería feliz.

Como expliqué a Lois: "En la mayoría de los matrimonios y relaciones existe un contrato silencioso que 'yo seré responsable de tu felicidad y tú serás responsable de la mía'. El resultado neto son dos personas desdichadas. En este contrato, si uno es infeliz, la responsabilidad es del otro. Del mismo modo en que los niños dependen de sus padres para obtener aprobación y satisfacción, muchas personas se esfuerzan por conseguir la aprobación de su pareja y esperan, en cierta forma, que su pareja los haga felices. Con bastante frecuencia, eso significa privarse uno mismo, esperando simpatía y apoyo; y entonces, cuando no se los obtiene, resentirse."

Durante las semanas siguientes, Lois empezó a hacer un inventario de todas las veces en que se negaba a sí misma diciendo: "No", "Espera", "Ahora no", "No eres lo bastante buena", "Hay cosas que hacer". "¿Qué pensarán de mí?" o "¿Lo merezco?". Esto era especialmente importante con respecto al problema de Lois de no disfrutar del sexo. Luego comenzó a tomar conciencia de cómo se aislaba su cuerpo, se intensificaba su ansiedad e iba perdiendo interés emocionalmente cuando estaba en la cama con Richard. "Basta con pensar que no estoy haciendo lo suficiente, que estoy tardando demasiado o que a él no le va a gustar como luzco o huelo. Puedo excitarme mucho y, al instante siguiente, pienso diferente y me siento tensa e incómoda. Para entonces, estoy rezando para que Richard termine de una vez y me deje en paz."

Para ayudarla a ver la futilidad de posponer su propio placer hasta que su esposo encontrara mágicamente una forma de satisfacerla, hablé a Lois sobre una paciente mía que había pasado diez años esperando que su esposo la acariciara con más suavidad unos centímetros más abajo de lo que usualmente lo hacía. En diez años, nunca se lo pidió y nunca lo consiguió. Cuanto más esperaba que él hallara el punto correcto con la caricia adecuada, más se resentía con él por ser un "amante incompetente". Finalmente, por sugerencia mía, apoyó su mano sobre la de él y le indicó el sitio, la presión, la velocidad y las variaciones apropiados. Por fortuna, no fue demasiado tarde para esa pareja. En muchos casos, se acumula tanto resentimiento que para cuando se intenta modificar algo, uno o ambos integrantes de la pareja desean terminar la relación.

Lois sonrió y dijo: "A mí me pasa lo mismo. Siempre estoy esperando que Richard encuentre el lugar correcto. Sé que seré feliz cuando lo haga, pero me avergüenza pedírselo."

Como muchos de nosotros, Lois padecía el síndrome de "Seré feliz cuando". Además de esperar en silenciosa desesperación que "seré feliz cuando Richard encuentre el lugar correcto", Lois había adoptado una serie de mensajes sexuales que le decían que pospusiera el placer, mantuviera en secreto sus necesidades y aguardara a que las cosas mejoraran milagrosamente. Se había criado en la creencia de que "Seré feliz cuando... encuentre al hombre adecuado, me case, tenga hijos, podamos mudarnos a una casa más grande, los chicos vayan a la escuela, mis hijos crezcan, consiga un trabajo, Richard y yo podamos costearnos un viaje, Richard sea un mejor amante, yo tenga un orgasmo". Siempre esperaba que algo o alguien exterior a ella la hiciera feliz.

Aunque se prometía a sí misma que la felicidad estaba a la vuelta de la esquina, siempre existía por delante otro mensaje de "Seré feliz cuando".

Comunique sus necesidades y deseos

Después de explorar las maneras en que se contenía a sí misma y era controlada por sus mensajes sexuales, Lois estuvo lista para dar el siguiente paso... descubrir y expresar sus necesidades y deseos. El crecimiento personal incluye un cambio de comprensión *y* comportamiento; la comprensión nunca es suficiente. Para descifrar los mensajes sexuales, usted necesita no sólo entenderlos sino tomar medidas para descubrir sus propios valores y preferencias sexuales. Advertir cómo se contiene esperando que otros lo satisfagan es un primer paso importante. El próximo paso es descubrir cómo disfrutar de su sexualidad, comunicar sus necesidades y ser responsable de ver satisfechos sus deseos cariñosamente.

Como expliqué a Lois: "Usted, no su pareja ni nadie que pudiera conocer, es básicamente responsable de revelar su sexualidad, aunque eso signifique tener que explicar con gentileza y en detalle aquello que le provoca más placer. En vez de sentirse dependiente o controlada por otros, necesita comprometerse con su propia satisfacción. Usted es más fuerte que los mensajes sexuales y temores que ha internalizado. Puede elegir pensar, sentirse y comportarse diferentemente de como se le enseñó."

Para superar su problema sexual, Lois tendrá que explorar sus necesidades y deseos por su cuenta y luego aprender a ayudar a Richard a comprenderlos. Como siguiente tarea del hogar, animé a Lois a reservarse una hora semanal cuando los niños y Richard estuvieran fuera de la casa. Le dije que desenchufara los teléfonos, se desvistiera con lentitud y pasara por lo menos treinta minutos en la bañera relajándose entre las burbujas y explorando cómo complacerse a sí misma.

Le advertí: "Mientras esté en la bañera, muchas viejas prohibiciones cruzarán su mente. Quizá se sorprenda pensando: 'No puedes estar haciendo esto... es sucio', '¿No deberías estar limpiando la cocina?', 'Richard se enfurecerá', '¿Y si su madre se enterara?' y 'Se supone que no debes gozar sin un hombre'. Cuando tenga pensamientos de este tipo, déjelos atravesar su mente sin resistencia y vuelva deliberadamente a sus sensaciones placenteras."

Como Lois temía que complacerse a sí misma perjudicara su matrimonio, le aseguré que "pasarse una o dos horas semanales explorando aquello que la excita no la convertirá en una desenfrenada. El mensaje parental de que el placer es nocivo confunde disfrutar del placer con exceso en la búsqueda del mismo. Comer una cucharada ocasional de helado es grato, engullirlo con voracidad es dañino. La clave está en la moderación. Negarse placer a usted misma obstaculiza su capacidad para disfrutar de sus seres queridos, incluyendo a su esposo e hijos. No tema 'agotar' su energía sexual. Por el contrario, cuanto más tiempo se tome para disfrutar de usted misma y nutrirse, más podrá dar a los demás".

Después de que Lois hizo su tarea del hogar varias veces, descubrió que podía sentirse muy erótica con el solo hecho de tocarse y masajearse distintas partes del cuerpo. Afirmó: "Me excita mucho frotarme no sólo el clítoris, sino todo el cuerpo. Mis pies, muslos, pechos, cuello, orejas y rostro son muy sensibles. Cada uno me produjo una sensación diferente cuando lo acaricié con fuerza, suavemente o haciéndole cosquillas."

Un fin de semana que los niños estaban fuera con amigos, Lois tomó la iniciativa con su esposo para compartir con él sus nuevas sensaciones sexuales recién descubiertas. Había temido que Richard desaprobara o se sintiera amenazado por sus autoexploraciones en la bañera pero, en cambio, descubrió que a él lo aliviaba ver cuánto podía complacerla. Le agradó seguir los consejos y sugerencias de Lois en relación a cómo le gustaba ser acariciada. A lo largo de varias semanas, Richard aprendió a ser más gentil y lento cuando hacían el amor. Según Lois: "Había creído que Richard y yo estábamos condenados a una vida sexual aburrida... ahora es todo lo contrario, muy apasionada, nueva y excitante."

Además de mejorar su matrimonio, la nueva habilidad de Lois de detenerse, relajarse y escoger la satisfacción siempre que se sintiera tensa o a punto de ser controlada por viejos mensajes también incrementó su deleite en otras áreas de su vida. A medida que fue expresando cada vez más sus necesidades acerca de la casa, recibió más cooperación de parte de Richard y los niños. Se inscribió en la universidad para completar sus estudios. Redujo el número de llamadas telefónicas a su suegra y de obligaciones para con ella.

En vez de posponer sus propias necesidades y placer por temor a ofender a otros, Lois aprendió a ser firme pero gentil para poder imponerse y hacer más grata su vida. Los síntomas de ansiedad disminuyeron en forma gradual y finalmente desaparecieron. Aunque narra que todavía tiene fantasías ocasionales sobre otros hombres, Lois describe cómo "la necesidad ya no existe, y tampoco la culpa. Puedo sentirme tan sexy como quiera cuando quiera y, sin embargo, sé que no lo manifestaré de manera inapropiada. Puedo mantener en secreto mis fantasías o vivirlas con mi marido".

Repetir el pasado

Al descifrar sus mensajes sexuales, Lois pudo dejar de repetir su esquema de abnegación y de buscar satisfacción fuera de sí misma. Hasta que comprendió que podía relacionarse con su esposo de un modo más creativo y responsable que el que se le había enseñado de niña, se sintió atrapada e impotente. En muchos casos, los límites psicológicos que nuestros padres nos imponen cuando niños se convierten en la continencia que nos refrena de adultos.

La relación que usted tuvo de niño con sus padres lo condicionó para esperar sentimientos similares en sus relaciones íntimas de adulto. Si se sintió controlado o intimidado por uno o ambos progenitores, es muy probable que en cierta medida espere que su pareja haga lo mismo. Si se sintió rechazado cuando niño, puede que inconscientemente esté creando el mismo esquema una y otra vez. Si tendía a desempeñar el papel de víctima o salvador en su familia, casi con certeza desempeñará el mismo papel en su matrimonio o relaciones íntimas. Si se sentía atrapado cuando vivía con sus padres, quizás experimente el mismo deseo de pelear o escapar cuando contemple una relación comprometida.

Como resultado de su crianza, usted tal vez sea proclive a reaccionar en exceso a cualquier cosa en sus relaciones adultas que guarde el más mínimo parecido con sus conflictos pasados. Aun cuando acuse a su pareja de atraparlo o traicionarlo, de hecho son las emociones no resueltas de su infancia las que pueden estar atrapándolo o traicionándolo.

"Es igual a mi madre"

El caso de Robert ilustra cómo vencer el instinto subconsciente de esperar de su cónyuge aquello que usted recibió de sus padres. Robert, un ejecutivo de negocios exitoso, tenía el hábito de beber con sus clientes y compañeros de trabajo. Una noche, regresó a su casa a las dos de la madrugada y se enfureció con su esposa, Monica, aparentemente porque ésta lo "regañó" por la bebida. Robert dijo que estaba cansado de que ella siempre le dijera lo que tenía que hacer y le advirtió que "no se metiera en sus asuntos".

Visiblemente afectada por esta última de una larga serie de discusiones airadas con su esposo, Monica me explicó al día siguiente que "Robert parece tener dos personalidades. Es un hombre extraordinario el noventa por ciento del tiempo... divertido, inteligente, sexy y muy bueno con nuestro hijo. Pero cuando toma alcohol y algo provoca su ira, es aterrador. Últimamente temo que destruya nuestro matrimonio si continúa bebiendo. No sé cómo ayudarlo".

Aunque el problema con la bebida había empezado a afectar su matrimonio y su trabajo, Robert era renuente a hablar de ello o a someterse a terapia. Dijo a Monica: "No me pasa nada. Estás exagerando". Por fin, las súplicas de ella lograron convencerlo de que aceptara concertar una cita.

Hijo único, Robert provenía de una familia culta y adinerada con padres que "hacían todo por mí. Me daban todo lo que yo quería". Robert también sabía por experiencia que cada regalo implicaba una condición. Sus padres lo ayudaron a pagar la casa que compró durante su primer matrimonio, pero en vez de poner el título a nombre de él, retuvieron un control parcial de la propiedad. Según Robert, el razonamiento de ellos había sido: "De este modo, tu esposa no podrá quedarse con la casa. A la larga, será más seguro". Además, le abrieron una cuenta fiduciaria considerable, pero también la pusieron a nombre de ellos. Robert pagaba los impuestos sobre el interés pero no podía utilizar el dinero sin el consentimiento de sus padres.

A lo largo de su vida, Robert se había sentido controlado y luego "rescatado" por sus padres. Cuando arruinó tres autos en su época de estudiante secundario, ellos estuvieron allí para salvarlo. Cuando su primer matrimonio se desmoronaba, su madre tuvo mucho gusto en regañarlo primero y sacarlo del apuro después. Al reflexionar sobre su ambivalencia amor/odio hacia sus padres, Robert comentó: "Me gusta que se ocupen de mí, pero ojalá dejaran de tratarme como a un niño irresponsable".

Así como habían criticado a su primera esposa y sugerido que se divorciara, sus padres estaban ahora socavando su segundo matrimonio. Cada año, la madre de Robert le enviaba a él y a su hijo costosos regalos de cumpleaños, pero nunca mandaba nada a Monica. Cuando Robert cometió el error de mencionar que él y Monica estaban discutiendo mucho, sus padres se apuraron a sugerirle que se divorciara. No importaba lo que Monica hiciera como ama de casa y madre, los padres de Robert se aferraban a la actitud que "nuestro hijo merece algo mejor".

Cuando pregunté a Robert cuáles eran sus verdaderos sentimientos hacia Monica, contestó que no estaba seguro. "La amo, pero es igual a mi madre. Lo único que hace es darme órdenes y vigilar todo lo que hago. Si tengo ganas de beber con mis amigos, es asunto mío. Si necesito un poco de diversión extra, ella tendrá que aceptar que soy así."

Recientemente, la "diversión extra" de Richard había comenzado a incluir aventuras amorosas ocasionales que lastimaban a Monica y amenazaban con destruir la relación. En sesiones separadas con Monica, ella describió su reacción a estas aventuras. "Trato de no ser paranoica ni hacer demasiadas preguntas, pero es curioso... Robert está tan seguro de que voy a abrumarlo como su madre que oye lo que desea oír. Todo lo que tengo que decir es: '¿Vendrás a cenar?' y monta en cólera diciendo que soy una 'perra dominante' igual que su madre."

Rompa con las pautas

Para ayudar a Robert a ver lo cerca que estaba de destruir su segundo matrimonio, le pedí que visualizara dos situaciones en las que podría estar dentro de diez años. En la primera imagen, Robert sería el tipo en el fondo del bar, medio borracho y quejándose acerca de cómo su primera esposa hizo esto, su segunda esposa hizo lo otro, su tercera esposa hizo algo diferente y todas las mujeres son unas malditas. En la segunda situación, Robert habría dejado la bebida, aprendido a comunicar eficazmente su enfado y reconstruido su matrimonio. En vez de ser una víctima autodestructiva, estaría disfrutando de su esposa e hijo.

Robert sabía que no podía afrontar un segundo divorcio. "Quiero a mi hijo y, a pesar de todos los problemas, siento que Monica es la mujer correcta para mí. Me ama no obstante todo y me siento muy mal cuando la hiero." Admitió que no sabía controlar su ira ni negarse al deseo de tener aventuras. También confesó que, pese a sus alardes, "la vida de soltero no era tan buena como la pintaban".

Cuando pedí a Robert que hiciera una lista de los mensajes sexuales que había adquirido sobre el amor, el matrimonio, los roles sexuales y la intimidad, su lista incluyó:

"Las mujeres... no se puede vivir con ellas pero tampoco se puede vivir sin ellas."

"Después de casadas, nos controlan."

"Mi madre siempre dijo que ninguna otra mujer es lo bastante buena para su hijo."

"Si una mujer me quiere, tolerará todas mis insensateces."

"Cuando una mujer se enfada hay que hacer todo lo que diga."

"No es posible divertirse y estar casado al mismo tiempo."

"No se puede confiar en mí. Soy un niño consentido y siempre necesito a alguien para no meterme en líos."

Mientras discutíamos la lista, Robert comenzó a entender que la mayoría de sus temores a la intimidad y sus deseos de tener aventuras amorosas estaban directamente relacionados con los resentimientos hacia su madre. Describió cómo cada vez que sus padres venían a la ciudad o llamaban para darle un consejo, él se sentía todavía más atrapado y furioso con Monica. "Aunque Monica y yo nos estemos llevando muy bien, siempre discutimos después que yo hablo con mis padres. Me trastorna hablar con ellos y entonces bebo. Y de ahí en más, cualquier cosa desencadena mi ira."

Para ayudar a Robert a hacerse cargo de su vida, le hice la siguiente recomendación, esencial para clientes con padres muy dominantes. "A veces, cuando uno está realizando cambios fundamentales en su vida, puede resultar necesario mantener a los padres a raya. Si ellos expresan el deseo de visitarlo, dígales que no es un buen momento. Si empiezan a abrumarlo con consejos o críticas, explíqueles que aprecia su preocupación pero que seguirán conversando otro día. Su salud, bienestar y matrimonio deben tener prioridad sobre la necesidad de sus padres de controlarlo. Primero ordene usted su vida... después estará en mejores condiciones para vérselas más exitosamente con sus padres."

Aun cuando Robert admitía que sería difícil hacer frente a sus padres y modificar su propio comportamiento, sabía que era hora de romper con las pautas que amenazaban con destruir su matrimonio. El primer paso era ayudarlo a librarse de su hábito de beber. Además de tomar Antabuse, un medicamento recetado para ayudar a superar el impulso de tomar, Robert se unió a Alcohólicos Anónimos como red de apoyo para los cambios que estaba emprendiendo. Luego redactó un sinnúmero de resentimientos hacia sus padres, su primera esposa y Monica. Al comparar las listas, advirtió que muchos de los resentimientos hacia Monica eran muy similares a resentimientos sin resolver que aún abrigaba hacia su madre.

En vez de dejar intensificar sus tensiones diarias o de descargarlas sobre Monica, Robert comenzó a liberar sus sentimientos airados aporreando un colchón, gritando contra una almohada o ejercitándose en el gimnasio. Para mejorar su salud general y paz interior, también empezó a meditar dos veces al día, a correr en una pista local por las mañanas y a perfeccionar su régimen alimenticio. Aunque sus padres intentaron interrumpir su progreso más de una vez ofreciéndole consejos incompatibles o cuestionando su capacidad para llevar a cabo esos cambios, Robert fue gentil pero firme cuando les dijo: "No se preocupen. Aprecio el interés de ustedes y estoy muy bien".

Los celos: un círculo vicioso

Robert y Monica aún tenían que enfrentarse con un serio problema: cómo romper el círculo de discusiones, desconfianza y enfrentamientos que minaba su matrimonio. Robert insistía en su derecho a tener alguna aventura extramatrimonial "cada tanto". Monica insistía en que las aventuras eran egoístas, hirientes e inmaduras. Robert comenzó a inventar excusas inteligentes o a mostrarse evasivo con respecto a sus salidas. Monica optó por distanciarse sexualmente mientras el resentimiento y la desconfianza iban en aumento. Al retraerse Monica, la ira y los deseos de aventura de Robert se intensificaron. Cuanto más tarde llegaba por las noches, más lo interrogaba Monica. Cuando Robert amenazó con volver a beber, ella amenazó con divorciarse.

El problema de Robert era, en esencia, elegir sus propios valores y reglas o esperar a que los demás reglamentaran su comportamiento sexual. Robert había reemplazado el control de su madre por el de su esposa. Así, jamás se había hecho cargo de su propia sexualidad. En lugar de optar por la responsabilidad, reaccionaba con ira, rechazo y la incapacidad de decir "No".

Como expliqué a Robert: "Usted cree que el problema es de Monica: si ella lo atrapará o le dará permiso. No hay diferencia alguna con la relación entre usted y su madre. Uno de los mecanismos que usted utilizaba para obtener el amor de su madre era buscar el enojo de ella. Cuando usted se portaba 'mal', su madre le prestaba más atención. Ahora repite el mismo modelo con Monica, como si le estuviera pidiendo: 'Demuéstrame que te importo con tus celos'.

"Mientras usted no fije sus propios límites y reconozca las consecuencias de sus aventuras, seguirá sintiéndose atrapado y controlado. En lugar de hacer que Monica sea su madre enojada, su tarea es observar la desconfianza y las discusiones que su comportamiento provoca. Si usted logra darse cuenta de lo mucho que sus aventuras afectan su paz interior, entonces *usted* mismo (no Monica, ni su madre ni ningún mensaje externo) tendrá que priorizar su matrimonio y decir 'No' cuando surja la necesidad."

Para Monica, el problema era el mismo al que se enfrenta cualquier persona cuya pareja tiene una aventura. Podía buscarse un amante para "vengarse" de Robert. O reprimir sus sentimientos hasta que el resentimiento la obligara a pedir el divorcio. O podía dejar de ser una víctima y aprender a expresar sus sentimientos y necesidades de un modo que Robert comprendiera.

Señalé a Robert y a Monica que *aquello en que concentramos nuestra atención en la vida se fortalece*. Si ponían toda su atención en las infidelidades, la relación se impregnaba de desconfianza, celos y rechazo. Pronto no podrían mirarse sin fastidio. Para Robert, esto significaba la desdicha en su pareja y la obtención de cierta fugaz alegría al tener alguna aventura sin que lo descubrieran. Monica, por su parte, dedicaba toda su energía a sentirse abandonada y a vigilar el comportamiento de su marido. El resentimiento y las sospechas no les permitían disfrutar del matrimonio. Les expliqué que, además de reconocer las heridas del pasado, ganarían mucho concentrándose en su felicidad marital y no en las infidelidades. Le sugerí a Monica que, en lugar de interrogar a Robert o de decirle que era una mala persona por lo que hacía, le explicara que se sentía insegura, sola o enojada. "En vez de decirle a Robert lo que tiene que hacer y que sea en vano, dígale cuánto lo ama y cuánto extraña la intimidad, confianza y afecto físico que las aventuras les han restado. Cuando usted se dé cuenta de lo mucho que añora las ocasiones en que se divertían juntos, sugiera situaciones específicas que les permitan recuperar la alegría de la relación."

Además de seguir estos consejos, Robert y Monica comenzaron a reconstruir su matrimonio mejorando la comunicación y la confianza entre ellos. Robert aprendió que podía sentirse atraído por otras mujeres sin experimentar la necesidad de hacer realidad sus fantasías. Una vez resuelta su ira, también pudo enorgullecerse de ser un buen esposo y padre. Además, logró admitir los momentos en que se sentía atrapado, vigilado o ahogado por la relación. Mediante el trabajo conjunto para buscar soluciones, ambos descubrieron una variedad de posibilidades para mejorar el matrimonio de modo tal de estar juntos *y* vivir vidas independientes según las necesidades de ambos.

Donde hay amor, hay odio

Muchas parejas creen que amar a una persona implica no decir que uno está enojado, arrepentido, irritado, distante, herido o molesto. La fantasía de la "pareja perfecta" consiste en creer que los problemas no van a surgir, que las discusiones se olvidan con facilidad y que las diferencias están reservadas para gente con relaciones menos "perfectas".

Dado que a muchos nos han inculcado de niños que enojarse con los padres significa no amarlos, muchas personas llegan a la conclusión de que la ira y el fastidio no tienen cabida en una relación amorosa. En cuanto se enojan o se sienten molestas, suponen que "el idilio ha terminado" o que "se acabó la luna de miel". Es importante comprender que *todas* las relaciones íntimas implican cierta ambivalencia: donde hay amor intenso puede, en ocasiones, haber odio intenso. Todas las relaciones tienen momentos de tensión o insatisfacción. De hecho, las parejas deben asumir, como parte de una relación íntima sana, que surgirán conflictos de fuerte carga emocional.

Incapaces de manejar la dolorosa y confusa mezcla de amor y odio, la mayoría de las parejas sufren crisis periódicas o desesperación crónica. En el presente, esto significa romper una relación para repetir exactamente el mismo modelo con otra persona. Las personas solteras o divorciadas terminan por entregarse a relaciones "distantes" que finalizan en cuanto comienzan a repetirse antiguos fastidios y heridas. El temor a volver a sentirse atrapado, a recrear el infierno personal de la niñez, es apabullante. Las parejas casadas se alienan y sufren insatisfacción en la medida en que permiten que los vestigios emocionales de conflictos parentales pasados controlen la relación. Cuando la ambivalencia se hace cargo, la pasión se bloquea y el sexo se convierte en una rutina aburrida.

"Al principio, era como un sueño hecho realidad"

El caso de Fran y Perry muestra las dificultades que estos sentimientos de amor/odio producen en una relación estable. Cuando se conocieron en un vuelo nocturno, Fran y Perry experimentaron un enamoramiento de cuento de hadas. Fran era una atractiva promotora de ventas de una firma de cosméticos de Los Angeles y tenía treinta y cuatro años cuando "se enamoró a primera vista" de Perry, un apuesto arquitecto de cuarenta y dos años que vivía en Washington D.C. A las pocas semanas, se trasladaban de oeste a este, del departamento de ella en la costa del Océano Pacífico a la casa de él sobre el río Potomac, por lo menos tres veces por mes para, según ambos, "tener las mejores relaciones sexuales que jamás imaginamos". Por lo general, cuando se encontraban luego de diez o veinte días de separación, solían hacer el amor en el piso porque "no podíamos esperar a llegar a la habitación". En ocasiones, mientras paseaban por el campo, estacionaban a la vera del camino para hacer el amor "en el auto, sobre una manta... en cualquier parte y en cualquier momento".

Perry recuerda que en esa época pensaba: "Es el opuesto de mi madre. Mis padres eran tan reprimidos sexualmente que yo solía pensar que sólo habían tenido relaciones tres veces, lo justo para concebir a mis dos hermanos y a mí. Una vez, cuando tenía diez u once años, entré en la alcoba de mi madre cuando ella se estaba subiendo el cierre del vestido. Gritó y se ocultó. No pude evitar sentirme un delincuente."

Por el contrario, "cuando Fran y yo nos conocimos, era como un sueño hecho realidad. No sólo por la forma en que hacíamos el amor, que era increíble, sino también por lo cerca que nos sentíamos el uno del otro. Parecía que ella me leía la mente: sabía exactamente lo que yo quería y siempre decía lo correcto. Jamás había estado tan enamorado".

Fran también describió su emoción al encontrar a alguien que "no se parecía en nada a mi padre". Luego de una infancia con un padre estricto y disciplinario, Fran había atraído siempre a hombres "dominantes y fríos". Si bien su padre jamás había recurrido a la violencia física, intimidaba a Fran y a su hermana menor con miradas iracundas, frases crueles y modales llenos de desprecio.

Fran recordaba que a los doce años se sentía muy atraída por su apuesto padre. "En ese entonces, él estaba malhumorado la mayor parte del tiempo, pe-

191

ro conmigo era divertido y afectuoso. Pero luego mi cuerpo empezó a cambiar y mi padre se volvió frío y distante. Inclusive se negaba a abrazarme y darme el beso de las buenas noches. Una vez se enojó por mis calificaciones en la escuela y me acusó de seducir a uno de sus socios. Yo llevaba un par de pantalones cortos, del tipo de los que las chichas usábamos en esos días. Primero me llamó 'buscona' y luego me dijo que si no dejaba de actuar como una prostituta, me enviaría pupila a un colegio. Esa noche, cerré con llave la puerta de mi cuarto y lloré desconsoladamente. Hasta mi madre se puso de su parte y me dijo que yo había hecho algo para seducir al socio. Yo sabía que no era cierto, pero nadie me creía."

Por desgracia, el incidente descripto por Fran es una experiencia bastante común para las mujeres cuando llegan a la pubertad. El padre puede sentir culpa por la atracción sexual que su hija le despierta. Al distanciarse y/o culparla por sus sensaciones, da la impresión que su hija es "mala" o que el rechazo obedece a que ella ha hecho algo malo. En algunos casos, cuando la hija utiliza su incipiente seducción para recuperar la atención del padre, surgen nuevos conflictos. Tanto el padre como la hija, o en el caso inverso la madre y el hijo, deben aprender que esta atracción sexual es natural y agradable, siempre que no se haga realidad en forma inapropiada. Dado que el padre y la hija no tendrán relaciones sexuales, pueden disfrutar de la admiración y la atracción mutua sin que esto constituya amenaza alguna.

Cuando Fran conoció a Perry, sintió alivio al "encontrar un hombre que tomaba su sexualidad con calma y honestidad. Perry no era exigente ni obsesivo como la mayoría de los hombres. Sabía cuándo ser tierno, cariñoso, sincero y dulce. Al principio, solíamos quedarnos despiertos toda la noche, hablando de nuestros sueños y proyectos. Me sentía como una jovencita otra vez. Era maravilloso y al cabo de seis meses de llamadas de larga distancia y despedidas lacrimógenas en los aeropuertos, estaba dispuesta a vivir con él y, tal vez, a casarme".

"Sólo quería escapar"

En cuanto Fran anunció su deseo de compartir un apartamento, comenzaron los problemas. Perry dijo que no estaba listo para dejar de salir con otras mujeres. Si bien Fran le hizo saber cuánto le dolía verlo con otras mujeres, él insistió en que, al menos por un tiempo, necesitaba "mantener sus opciones". Según Perry, "ya me había equivocado en mi primer matrimonio y no quería cometer el mismo error de apresurarme. Fran solía decir que me amaba por mi independencia y despreocupación. De pronto se disgustaba porque yo no quería comprometerme y atarme."

Fran explicó que sentía que Perry la "usaba como un juguete sexual para satisfacer su placer los fines de semana sin compromisos. Comenzamos a discutir si yo debía mudarme a Washington o él a Los Angeles. Cuanto más discutíamos, más me daba cuenta de lo egoísta y testarudo que era.

"Empecé a defenderme con distancia sexual y él

comenzó a mostrarse exigente. Sólo tenía que tocarme la mano para que yo sintiera la presión de su deseo sexual. Entonces lo rechazaba y él me decía que actuaba como una 'loca', que él sólo quería estar cerca de mí. En ese punto, yo no le creía ni una sola palabra. A pesar de que Perry afirmaba que todavía me amaba, yo sólo quería escapar."

Cuando Fran comenzó a retraerse sexualmente, Perry se sintió rechazado y molesto. En ocasiones, trataba de convencerla de tener relaciones; en otras, se limitaba a resentirse en silencio por la actitud de ella. En tanto Fran se negaba, la furia de Perry se intensificaba bloqueando su ternura. La desconfianza mutua se volvió autosuficiente: cuanto más afecto pedía él, más se apartaba ella; cuanto más se alejaba ella, más exigía él.

Para evitar el rechazo, Perry recurrió al sarcasmo. Una noche, cuando Fran se puso su vestido escotado favorito para una importante cena con los socios de Perry, éste la acusó de "buscona". Fran tomó su maleta y abordó el primer avión a Los Angeles. Luego confesó que se sintió "como loca. Quería matarlo y me odiaba por seguir amándolo".

¿Puede sobrevivir el amor?

Fran y Perry sabían que si continuaban recreando las peores características de sus padres terminarían por separarse. El intenso amor/odio que sentían quedaría como "equipaje emocional" para otras relaciones. Perry encontraría una forma de sentirse rechazado sexualmente por la siguiente mujer que amara. Fran encontraría la manera de sentirse dominada sexualmente por el siguiente hombre que amara. El modelo se repetiría a menos y hasta que aprendieran a manejar el desafío inevitable de los mensajes sexuales no resueltos.

Cuando Fran y Perry iniciaron su terapia, les dije: "Ambos saben que aún están enamorados. La cuestión es si están motivados para romper con sus modelos o si prefieren separarse." Por fortuna, vinieron a tiempo y eran optimistas con respecto a la posibilidad de volver a ser amantes. Para ayudarlos a recuperar la confianza y el romanticismo de que habían disfrutado al principio de la relación, les ofrecí los siguientes ejercicios y consejos que pueden utilizarse con un ser amado para reducir las barreras sexuales y los bloqueos emocionales.

1. PARA RECREAR EL ROMANCE

Como la mayoría de las parejas en crisis, Fran y Perry se ponían tensos, a la defensiva y se replegaban emocionalmente cuando estaban juntos. Les resultaba difícil mirarse a los ojos. Cuando discutían, no se escuchaban. Se sentían poco valorados el uno por el otro. Ambos sufrían al tratar de suprimir y negar sus sentimientos amorosos.

Para ayudarlos a recordar por qué estaban juntos, les pedí que se sentaran frente a frente, mirándose, mientras intercambiaban frases de reconocimiento mutuo. Este sencillo ejercicio tiene muy pocas reglas: la persona que comienza describe en una o dos oraciones específicas aquello que valora en la otra persona. El que escucha debe aceptar el reconocimiento, decir "Gracias" o "Entendí", y repetir cada uno de los mensajes de la manera más fiel al original que pueda. No está permitido agregar nada, negar, discutir o decir "No, en realidad no soy tan bueno como crees".

Hacer este ejercicio constituyó un cambio radical en el modo usual de comunicación entre Fran y Perry, que por lo general, consistía en acusaciones, exigencias y amenazas. Si bien al principio la tensión entre ellos creció, luego se disipó. Unos minutos después de que Perry comenzó a enumerar las cualidades que valoraba en Fran, los ojos de ella se llenaron de lágrimas. Acto seguido, los ojos de Perry también se humedecieron. Ninguno podía negar el amor subyacente en la batalla de voluntades de su relación.

2. HAY QUE RESOLVER ANTIGUAS HERIDAS

Durante los meses de discusiones y peleas, Fran y Perry se habían lastimado infinidad de veces. A pesar de que ambos lamentaban haberse herido mutuamente, les sugerí que aceptaran el hecho de que el conflicto forma parte de una relación amorosa y que "amar implica que van a pasar cosas". En lugar de resistirse o negar los inevitables conflictos, necesitaban aprender a manejar las heridas a fin de recobrarse de las disputas y proseguir con la felicidad.

En un ejercicio frente a frente, similar al que ya describí, les pedí que se hicieran responsables de sus heridas y que explicaran, con dulzura y sin atacar o culpar, lo que cada uno necesitaba del otro para evitar futuros sinsabores. Una vez más, no se podía interrumpir al que estaba hablando y la persona que escuchaba debía decir "Gracias" o "Entendí" y repetir el mensaje.

Fran comenzó a compartir antiguas heridas y Perry se limitó a repetir las palabras de ella lo más objetivamente posible.

"Me dolió cuando me llamaste 'buscona'. Preferiría que me dijeras lo que opinas de mi ropa sin hacer referencias sexuales."

"Me dolió cuando me dijiste que todavía no querías casarte conmigo. Me sentiría mejor si fueras más sincero con respecto a tus temores. De ese modo no lo tomaría como un rechazo personal."

"Me dolió cuando dijiste que mi trabajo era menos importante. Necesito tu respeto y me gustaría que entendieras lo que mi trabajo significa para mí."

Luego Perry compartió las heridas que había sufrido y Fran las repitió sin emitir juicio alguno.

"Me dolió cuando dijiste que nuestras peleas eran culpa mía. Necesito saber que trabajamos juntos en esta relación y que ambos queremos cambiar."

"Me dolió que dijeras que lo único que me interesa es tener relaciones contigo. Necesito que sepas cuánto te amo y que deseo estar contigo aun cuando no tengamos relaciones."

"Me dolió que no me devolvieras las llamadas. Necesito comunicarme contigo a pesar de nuestros problemas."

197

Fran y Perry pudieron resolver varios de sus antiguos resentimientos y heridas al anunciarlos en forma breve y específica, *con el compromiso de llegar a un resultado positivo.* En vez de acusarse el uno al otro con ira, continuaron mirándose, hablando en un tono de voz tierno y sincero y concentrándose en lo que podían·hacer para satisfacer sus necesidades dentro de la relación. Por primera vez, sintieron que el otro escuchaba y·comprendía su dolor.

3. DESBLOQUEAR LA CORRIENTE DE AMOR

Otro ejercicio que resultó efectivo en el caso de Fran y Perry fue hacer una lista de "las formas en que he bloqueado el amor en mi vida..." Esta técnica ayuda a dejar de culpar al otro y comenzar a ver cómo contribuye usted al fracaso de la pareja. Dado que tanto Fran como Perry se ponían a la defensiva y hostiles en cuanto recordaban a sus padres, necesitaban develar cómo habían caído en esos patrones de comportamiento y cómo abandonarlos. Admitir ante usted mismo y su pareja cómo *usted* inhibe su propio placer, mantiene la distancia y evita la intimidad, puede servir para liberarse.

La lista de Perry incluía:

"He bloqueado el amor en mi vida..."

- Teniendo muchas relaciones en lugar de comprometerme con una.
- Siendo exigente con respecto al sexo.

- Trabajando demasiado hasta necesitar el sexo como liberación de tensiones y no como expresión de amor.
- Considerando a las mujeres como conquistas y trofeos y no como personas y amigas.
- Esforzándome tanto para que Fran llegue al orgasmo hasta reprimir mi ternura o ignorar los sentimientos de ella.

En su lista, Fran escribió:
"He bloqueado el amor en mi vida..."

- Al insistir en un compromiso formal en lugar de sentir cuánto me ama Perry.
- Culpando a Perry de los problemas en nuestra relación.
- Al negar mis sentimientos y no querer tener relaciones a fin de castigarlo y ganar poder.
- Haciendo que Perry se sienta inseguro y molesto.

Al admitir con honestidad cómo *usted* mismo entorpece su propia recepción de amor, usted deja de atacar o culpar a su pareja. Los modelos que se descubren pueden ser las razones por las que no funcionaron otras relaciones anteriores y seguramente, se trasladarán a la siguiente relación si usted no aprende a resolverlos en esta oportunidad. Cuando usted reconoce y modifica su patrón de bloqueo del amor, la vida se vuelve más gratificante.

4. CÓMO DIVERTIRSE EN LA CAMA Y FUERA DE ELLA

Para ayudar a Fran y a Perry a superar sus conflictos sexuales y a disfrutar más de la relación, les sugerí los mecanismos que han ayudado a muchas parejas a encontrar un nivel de pasión y romance mucho más profundo que la fascinación sexual del inicio de la relación.

- *Tomárselo con calma.* Con frecuencia, las parejas caen en la trampa de esforzarse demasiado. Cuanto más tratan de arreglar la situación, más se complican los problemas. Demasiado trabajo y poco placer pueden resultar en una relación pesada. El objetivo de descifrar los mensajes sexuales es diferente. Se trata de suavizar la relación íntima de modo que ambos puedan relajarse y divertirse.
- *Caricias no sexuales.* En lugar de considerar todas las demostraciones físicas de afecto de Perry como exigencias sexuales, Fran aprendió a calmarse y a recuperar sus sensaciones de intimidad y confianza gracias a unas semanas de caricias no sexuales. Fran lo describió de la siguiente manera: "Me gusta ser tierna y cariñosa y no que me apuren o que mi pareja esté pendiente de que yo alcance el orgasmo. Perry y yo pasamos varias noches tomándonos de las manos, acostados el uno junto al otro, acariciándonos los rostros o abrazados sin llegar a nada sexual. En ocasiones, nos hacíamos masajes en la espalda, el cuello, los pies, las manos y la cara. En otras, nos bañábamos juntos. El

resultado fue que volvimos a ser adolescentes: besos prolongados y apasionados y muchas caricias. Era mucho más emocionante que al principio porque ambos nos sorprendíamos al ver que todavía nos podíamos excitar tanto."

- *Relaciones sexuales sin orgasmo.* Como paso siguiente en la liberación de las presiones del sexo predeterminado, Fran y Perry comenzaron a experimentar con largas sesiones sexuales en las que uno o ambos decidía superar la necesidad de llegar al orgasmo. En ocasiones, esto implicaba prolongadas sesiones de jugueteo amoroso combinado con largas pausas de respiración profunda, caricias y masajes. En otras, se limitaban a respirar serenamente y a detener el ritmo de la excitación sin que Perry eyaculara o Fran alcanzara el orgasmo. Y aun en otras, variaban la velocidad y la intensidad para lograr niveles de intimidad que jamás habían creído posibles.

- *Días de aventuras.* Como Fran y Perry sabían que provenían de padres cuyas relaciones habían estado plagadas de deberes, obligaciones y responsabilidades, decidieron hacer todo lo posible para evitar caer en rutinas aburridas. Por lo tanto, establecieron días de aventuras creativas. Por lo menos una vez al mes, uno de ellos organizaba un paseo que resultara una aventura memorable. Durante un mes, Perry llevó a Fran a un parque de diversiones para que ella se saciara de sus juegos favoritos. Un fin de semana, Fran llevó a Perry a una "expedición de arte" por todas las galerías y museos "que él no tenía tiempo de ver". Otro domingo, Perry la convenció de que se quedara en cama mientras él cocinaba, limpiaba y satisfacía sus fantasías sexuales.

- *Regalos de no cumpleaños*. Sin demasiado esfuerzo o preparativo, Fran y Perry comenzaron a sorprenderse mutuamente con pequeños obsequios: poemas, flores, objetos, cartas y canciones de amor no previstos. En vez de esperar los cumpleaños o las fiestas tradicionales, se halagaban inesperadamente con regalos que hacían que el otro se sintiera querido y valorado.

- *Tres valoraciones por día*. Varias veces por semana, antes de dormir, Fran y Perry llevaban a cabo un simple ejercicio que ha ayudado a muchas parejas a mantenerse unidas. Mientras el otro escuchaba sin interrumpir, Fran o Perry expresaba "Tres cosas que valoré en ti hoy..." Aun si las cosas eran tan triviales como "Me gustó que le dijeras al plomero que limpiara el lío que había hecho" o "Me agradó que vaciaras el lavaplatos", la relación se benefició con la capacidad de ambos de valorarse mutuamente en lo cotidiano.

Aunque Fran y Perry saben que los mensajes parentales y los resentimientos del pasado pueden surgir esporádicamente, están preparados para manejarlos sin culparse ni atacarse el uno al otro. Al año de iniciada la terapia, habían alcanzado un nivel más profundo de compromiso. Poco después se casaron y han seguido creciendo como individuos y como pareja.

6

CÓMO MANEJAR LA VEJEZ, AGONÍA Y MUERTE DE LOS PADRES

Cuando nos enfrentamos a la vejez, agonía o muerte de nuestros padres descubrimos sentimientos que, a menudo, parecen superarnos. La renuencia a hablar de estos temas puede entorpecer el adecuado manejo de la realidad de la situación del progenitor. La necesidad de cuidar al padre o a la madre suele avivar sentimientos acerca del modo en que él o ella no cuidaron de nosotros. La difícil carga que se cierne sobre nuestras emociones, finanzas y vida familiar se combina, por lo general, con la creencia de que "No puedo decir que no".

Con mucha frecuencia, la gente se siente culpable por pensar cosas como: "Sufría tanto que yo sólo quería que todo terminara pronto", "No pude decirle que venga a vivir con nosotros", "No es justo que yo tenga que cargar con todo" o "Lo que jamás pude tolerarle se ha agudizado con la edad". Si bien estas reacciones son corrientes, se nos ha inculcado que tener sentimientos contradictorios con respecto a los padres es ser egoísta o desagradecido. Por lo tanto, fingimos ser santos en presencia de nuestros padres ancianos o agonizantes cuando, en realidad, lo que sentimos es miedo e ira. Algunos

nos desvivimos por satisfacer las exigencias de un padre o madre anciano agonizante a fin de que se nos perdonen viejas imprudencias, o para demostrar que, a diferencia del hermano favorito, somos "el bueno" de la familia. Otros bloqueamos los aspectos negativos al recordar a nuestro progenitor agonizante o muerto para poder creer que nuestro resentimiento jamás existió.

• Grace, de cincuenta y cuatro años, está casada y tiene tres hijos grandes. Al describir a su madre de ochenta años, que sufre de artritis reumatoidea con dolor crónico en la mayoría de las articulaciones, Grace dice: "A pesar de que mi madre no es abiertamente exigente, es obvio que sufre mucho. Me siento impotente, como frente a un niño muy enfermo por quien no pudiera hacer gran cosa. La peor parte es la culpa que me invade cuando me descubro 'comparando': mi madre me cuidó sólo hasta que cumplí los diecisiete y me independicé. Yo he estado 'de guardia' a su lado durante veintiséis años".

• Dolores, veinticinco, es divorciada y tiene dos hijos. Su padre, de cincuenta y ocho años de edad, sufrió un ataque que lo dejó parcialmente paralizado y sin habla. Según Dolores: "Paso todo el tiempo que puedo en el hospital, pero ni siquiera sé si él se da cuenta de mi presencia. Mamá está destrozada y necesita ayuda. Con dos hijos y un trabajo de ocho horas, estoy empezando a sentirme agotada. Me avergüenzo de pensar en mí, ¿pero si yo no lo hago, quién lo hará?"

• Cada vez que Karl, de veintinueve años, va a Chicago a ver a su padre y a su madrastra, se detiene en el cementerio para visitar la tumba de su madre. A pesar de que ella murió en un accidente automovilístico cuando él tenía ocho años, Karl cuenta que "aún tengo sentimientos encontrados. Me molesta que se haya ido sin despedirse. Cuando me pasa algo bueno, me entristece no poder compartirlo con ella. Me gustaría superar esta sensación, pero aun después de todos estos años, me frustra el hecho de que no hayamos podido conocernos mejor".

• Connie, treinta y ocho, acaba de regresar de una fiesta sorpresa para su padre en la que, relata, "me impactó ver por primera vez, cuánto han envejecido mis padres en los últimos dos años. Nunca medité demasiado en que envejecerían y, de pronto, me di cuenta de que algún día morirían. Al verlos ancianos, también yo me sentí vieja. Me asusté y mientras intentaba pensar en la fiesta de cumpleaños, no pude evitar preguntarme si ellos tendrían tanto miedo a la muerte como yo".

"¿Es necesario que hablemos del tema?"

Si bien es cierto que, tarde o temprano, todos nos enfrentamos al problema de la vejez, se trata de un tema tabú en nuestra sociedad. Al negar la ambivalencia inherente que sentimos con respecto a la muerte, y en especial, a la vejez y muerte de nuestros progenitores, obligamos a nuestra ira, temor y dolor a emerger en forma indirecta y poco feliz. En ocasiones, reprimir sus sentimientos encontrados le impide amar a sus padres mientras están con vida. En otros casos, puede hacer que usted haga, involuntariamente, comentarios hirientes o tome decisiones erróneas cuando sus padres necesitan todo el apoyo. Si usted no logra elaborar los sentimientos contradictorios con respecto a un progenitor que se ha vuelto dependiente o ha muerto, es posible que esto perjudique su salud y la relación con su pareja, hijos y hermanos.

La mayoría de las familias evita hablar de la vejez y la muerte por la incomodidad que produce el tema. Cuando un progenitor debe tomar una decisión difícil, tal como someterse o no a una operación, es frecuente que los hijos no puedan o no quieran participar. Cuando los padres necesitan hablar de su testamento, propiedades o seguro de vida, resulta corriente que los hijos interrumpan la conversación con comentarios como: "No seas morboso", "¿Es necesario que hablemos del tema?". Cuando un progenitor trata de expresar las dolorosas emociones que conlleva una enfermedad terminal, suele ocurrir que los hijos no le permitan compartir sus sentimientos diciendo: "No te preocupes. Pronto estarás bien".

Ya sea para cubrir nuestros propios temores o para proteger a la otra persona, el silencio entre padres e hijos en general se convierte en un obstáculo para el amor y la comunicación que ambos necesitan tanto. En casi todos los casos, el padre (o la madre) termina por evitar los temas dolorosos, se repliega en sí mismo y abandona el intento de reestablecer el contacto íntimo. Los hijos se quedan sin la oportunidad de expresar su amor o de comprender en profundidad el proceso del progenitor que agoniza. Vivir el envejecimiento de un progenitor puede ser una experiencia cargada de culpa o una oportunidad de acercamiento. La clave para romper las antiguas barreras y la distancia emocional está en manejar la mezcla de sentimientos en forma efectiva.

Este capítulo le ayudará a comprender los arduos desafíos que supone tratar con padres que, por edad, enfermedad o personalidad, comienzan a exigir a sus hijos. Lo ayudará a distinguir sus propios sentimientos sobre la agonía y la muerte de sus padres. Al reconciliarse con la ambivalencia, usted puede llegar a un nuevo nivel de comprensión y amor hacia sus padres, vivos o muertos. Más aún, al aprender a manejar los desafíos que usted enfrenta logrará recuperar la paz interior y eliminar los sentimientos de culpa que a menudo dejan profundas cicatrices luego de la muerte de un progenitor.

Cambio de papeles

Durante varios años, o de pronto a causa de una enfermedad grave, su activo y autosuficiente progenitor puede convertirse en un ser dependiente y limitado físicamente. La falta de concentración, pérdida de memoria, malestares físicos, dificultades para caminar o conducir, ausencia de actividad social y decrecientes recursos económicos pueden hacer que un padre o una madre busque consejo y apoyo en un hijo. Es posible que los padres se vuelvan malhumorados, exigentes, manipuladores o retraídos como consecuencia de estos importantes cambios físicos y emocionales.

Los hijos adultos de padres ya mayores suelen comentar que sus padres son "egoístas" o "se han cerrado en sí mismos". Las vidas de los padres se han restringido a raíz de la jubilación, falta de movilidad o enfermedades físicas. Las características "difíciles" de padres mártires o dictadores se agudizan debido a la creciente dependencia de los hijos. Conflictos y resentimientos que han permanecido latentes durante años de pronto emergen cuando la relación con los padres ocupa mayor atención y tiempo.

A pesar de que usted se encuentre en la etapa de su vida en que su carrera, matrimonio, hijos o deseo de independencia constituyan sus prioridades, el hecho de que su progenitor necesite ayuda lo enfrenta con un grave dilema: ¿qué puede o quiere usted ofrecer a su progenitor para manejar las justificables necesidades de él o ella? Por lo general, los adultos en esta disyuntiva se hallan atrapados entre las exigencias de hijos adolescentes o jóvenes y las de sus padres. Como si fueran una "generación perdida", sienten la presión emocional y financiera de ambas partes.

Ya sea que usted haya sido el "favorito" o la "oveja negra" de la familia, que tenga o no tiempo, energía, dinero o deseo de ayudar, o se sienta o no competente para lidiar con los desafíos que enfrenta su progenitor, de todos modos estos problemas caen sobre sus espaldas. En vez de ser el niño que recurre a sus padres en busca de ayuda y consejo, ahora usted debe responder a preguntas como:

"Tengo un dolor aquí... ¿crees que será grave?", "¿Te parece que debería vender la casa y mudarme a un geriátrico?", "¿Qué hago, despido a la mucama?", "¿Crees que debo seguir tomando los medicamentos ahora que ya me siento bien?", "Tal vez sería mejor mudarme a tu casa hasta que encuentre otro departamento, ¿qué opinas?" y "¿Compro un televisor nuevo o te parece que haga arreglar éste?".

A pesar de que usted no se sienta a gusto con su nuevo papel o se crea incapaz de brindar a su progenitor lo que éste necesita, el desafío de manejar la vejez de los padres puede resultar una buena oportunidad para crecer en el amor. Al verse forzado a ocuparse de las necesidades parentales, es posible que usted los vea, por primera vez, como personas y no como padres. Romper con el patrón progenitor-hijo que ha marcado la relación desde un principio le permitirá descubrir nuevas formas de estar juntos.

"Jamás pensamos que esto pasaría"

El caso de Paula ilustra algunos de los problemas y alegrías de vérselas con padres mayores. Paula era una mujer de cuarenta años con marido y dos hijos, de diecinueve y diecisiete años. Provenía de una familia de cinco hermanos. Según Paula: "Mis dos hermanas están divorciadas; uno de mis hermanos vive en Oregon y el otro es soltero. De pronto murió mamá y papá tenía que irse a vivir a alguna parte hasta que encontrara un apartamento que le gustara. Entonces, le ofrecimos la habitación de huéspedes en nuestra casa. Era la solución más obvia. A pesar de que papá y yo no éramos muy unidos cuando yo era chica, sabíamos que no podía buscar apoyo en el resto de la familia. Pero también pensamos que sería temporario. Con mi hijo mayor viviendo en la universidad y el menor a punto de terminar el secundario, yo ansiaba recuperar mi merecida libertad."

Durante los primeros seis meses, no hubo mayores problemas. Paula tenía la impresión que su padre estaba "un poco desvalido, como 'un alma en pena' sin mamá. Mamá se había preocupado durante años de que papá muriera de un ataque cardíaco. Lo cuidaba y vigilaba su dieta y ejercitación física. Nadie pensó que ella moriría primero".

Si bien el padre de Paula se mostraba algo retraído y comenzó a beber más de lo que solía hacerlo en vida de su esposa, no se suscitaron discusiones serias entre Paula y él. Paula contaba cómo su padre "trataba de no convertirse en una carga y resultó una buena influencia para nuestro hijo durante su último y difícil año escolar. En ocasiones, me ayudaba en la cocina y mantenía su habitación limpia y ordenada. Aun así, mi marido y yo solíamos preguntarnos cuándo se mudaría. Jamás pensamos que esto pasaría y sentíamos que nuestras vidas dependían de que papá decidiera mudarse".

Cuando hubo transcurrido casi un año, comenzaron a surgir los inconvenientes. Según Paula: "Me di cuenta de que me estaba convirtiendo en una histérica. El hecho de que papá bebiera me ponía nerviosa. Me preocupaba constantemente porque mi marido y mi padre no discutieran o se molestaran. **Papá** estaba cada vez más distraído y perdía las llaves, la billetera y los lentes. Una vez, mientras él buscaba su cinturón favorito, estallé y le dije algo hiriente que luego lamenté. Mi esposo y yo no nos habíamos tomado vacaciones en dieciocho meses y nuestra vida sexual había disminuido hasta desaparecer. Aunque mi padre no tenía la culpa, yo sentía que estaba viviendo en la casa de él, bajo sus reglas."

Un día en que los hijos de Paula se encontraban en casa de vacaciones, el padre de Paula se enojó por el volumen de la música y se encaminó al sótano para decirles que lo bajaran. Desgraciadamente, se cayó en la escalera y se rompió la muñeca. "Todos nos sentimos muy mal", explicó Paula. "Los chicos se creían culpables y mi marido dijo que por suerte no había sido un accidente más serio. Desde entonces, teníamos mucho cuidado de no hacer nada que pudiera molestar a papá."

Cuando Paula vino a verme para conversar de sus problemas, una de las primeras preguntas que le hice fue: "¿Su padre sabe cómo buscar un apartamento?" "No lo sé", fue la inmediata respuesta. "Nunca se lo preguntamos." Como muchas personas que se ven obligadas a cuidar de sus padres ancianos, Paula se sentía atrapada en el medio. Como ella misma describió: "Por un lado me siento culpable al ver lo solo que está. Al mismo tiempo, no sé cómo decirle que ya es hora de que se mude."

Luego de que Paula resolvió una serie de resentimientos hacia su padre y comenzó a descubrir cómo se reprimía cuando estaba con él, le recomendé que organizara una reunión familiar para hablar de los temas que estaban causándoles problemas. Al principio, Paula pensó que me refería a ella, su marido y su padre, pero yo la insté a que incluyera a sus hermanos y hermanas. Le expliqué que "el hecho de que usted accediera a que su padre viva con ustedes durante un tiempo no significa que deba cargar con todas las responsabilidades futuras. Éste es un problema familiar que involucra a todos los miembros de la familia".

El primer obstáculo que Paula tuvo que superar fue la resistencia de sus hermanos y hermanas. Encontrar una fecha y hora aceptables para todos fue, al principio, "casi imposible". Si bien una de las hermanas menores estuvo de acuerdo, los otros tres integrantes de la familia usaron argumentos tales como "Deja de preocuparte por papá... estará bien si le das algo de tiempo" o "Me encantaría ayudar, pero estoy muy ocupado". Por fin, con ayuda de su hermana, Paula logró acordar un horario y fecha en que toda la familia, incluyendo a su padre, pudiera asistir.

Paula y su esposo necesitaban comprender sus sentimientos contradictorios. En muchas familias con este tipo de problema, las decisiones se toman sin consultar al otro cónyuge. Aunque las soluciones elegidas sean las que desean los hijos del progenitor en cuestión, el otro cónyuge suele sentirse ignorado o molesto. Luego de pensarlo y conversarlo mucho, Paula y su marido llegaron a la conclusión que sus sentimientos eran similares: sabían que no querían que la situación actual continuara, pero no se atrevían a pedirle al padre de Paula que se marchara.

Incluso peor que no consultar al otro cónyuge resulta cuando las familias toman decisiones que afectan a sus progenitores ancianos sin consultarlo a él (o ella). En el caso de Paula, la reunión comenzó cuando ella le pidió a su padre que explicara sus necesidades con sus propias palabras. "Pensé que papá diría que se sentía incómodo viviendo con nosotros, pero sólo se limitó a negar que existiera problema alguno. Durante toda la primera reunión, se mostró retraído y esquivo. Era demasiado orgulloso para pedir ayuda o admitir lo solo e infeliz que se sentía. Dijo cosas como: 'No soy un inútil' y 'Estoy bien... Están armando un escándalo por nada'.

"Mis hermanos también aprovecharon la reunión para anotarse puntos con papá. Estuvieron de acuerdo con todo lo que dijo y se ofrecieron a invitarlo a cenar, a pasear y a telefonearle más a menudo... Todo lo que jamás habían hecho durante esos dieciocho meses y jamás harían si no se los obligaba.

"Esa noche no pude dormir y terminé llorando sola en la sala. Usted me dijo, doctor Bloomfield, que la primera reunión es sólo un comienzo y no la solución a los problemas familiares, pero nunca imaginé que resultaría un encuentro tan deshonesto y frustrante. A las cuatro de la mañana, apareció papá y me preguntó por qué lloraba. Le dije la verdad: que lo amaba y que no sabía cómo decirle que necesitaba volver a ser dueña de mi casa. Admitir que necesitaba ser independiente me resultó más difícil esa noche que cuando me fui a vivir sola a los dieciocho años.

"Con sorpresa, vi que el rostro de papá se iluminaba y estallaba en una carcajada. 'Paula, somos un par de farsantes', dijo. Luego admitió lo que yo había sospechado desde un primer momento. Para él también comenzaba a ser difícil compartir la casa. Durante casi dos años, nos habíamos mentido tratando de ocultar nuestras necesidades por temor a lastimarnos. Una vez que nos sacamos ese peso de encima, nos pasamos la noche hablando de todo: de mamá, de mis abuelos paternos, de cómo había sido la adolescencia de mi padre, lo que a él le gustaba y detestaba de sus amigos. Fue la primera vez en mucho tiempo que hablamos como viejos amigos y no como padre e hija.

"Papá habló de su temor a estar solo y de su ira hacia mamá por haberse muerto. Antes, yo habría tratado de que descartara esos sentimientos diciéndole: 'No, papá, no lo dices en serio'. En esa oportunidad, me limité a tomarlo de la mano mientras él lloraba un poco. Le confesé que me sentía atrapada entre querer ayudarlo y ayudar a mi marido y a mis hijos. Él reconoció que una de las peores partes de la vejez era el temor a 'convertirse en una carga para los hijos'.

"Cuando llegamos al tema de la mudanza, papá admitió que además del miedo a la soledad, se encontraba frente a un grave dilema. No estaba seguro de poder pagar los costosos alquileres de los barrios más lindos. Cuando le aseguré que nos gustaría mucho ayudarlo, vi que su rostro cambiaba de expresión y respiraba con alivio."

A la semana siguiente, se realizó otra reunión familiar para ultimar los detalles. Luego de que el padre de Paula hubo descripto sus problemas financieros, los miembros de la familia comenzaron a sugerir formas para resolver esos inconvenientes. Durante las seis semanas siguientes, los integrantes de la familia se turnaron para ayudar al padre a encontrar un apartamento agradable y dentro del presupuesto acordado. Eligieron uno luminoso y bien cuidado, a sólo cuatro kilómetros de la casa de Paula. Además, contrataron a una criada para que fuera a limpiar y cocinar cuatro veces por semana.

Si bien en ocasiones el período de transición resultó difícil y Paula confesó que se "sentía muy responsable y me aseguraba de llamar a papá todos los días", al cabo de algunos meses su padre empezó a llevar una vida social mucho más activa que cuando vivía con ella y su familia. A través de una agencia de organización social local, se hizo socio de un club de personas jubiladas que incluía bailes semanales, un programa de paseos y una serie de películas y debates semanales en la biblioteca pública local.

Hay que tener expectativas realistas

A pesar de que no todas las crisis familiares se resuelven con tanta facilidad, el caso de Paula brinda algunos parámetros para el manejo de los sentimientos complejos que surgen a raíz de las necesidades de padres ancianos. Al manejar sus propias emociones, Paula pudo hacerse cargo de la situación. Cuando se dio cuenta de cómo se reprimía con su padre, pudo ser más honesta para hacer valer sus necesidades y las de su familia y ofrecer soluciones factibles. Al involucrar a su esposo y asegu-

217

rarse de que los demás conocieran y tuvieran en cuenta los sentimientos de él, evitó problemas innecesarios que pueden resultar destructivos aun para los matrimonios más estables. Al recurrir a los demás miembros de la familia y concentrarse en "¿Qué quiere papá?" y "¿Qué podemos brindarle siendo realistas?", ayudó a la familia a solucionar temas de los que nadie había querido hablar antes. En el proceso, unió más a la familia y evitó una mayor incomunicación entre hermanos. Por fin, al utilizar la agencia social local y los grupos de la comunidad, Paula pudo ayudar a su padre sin convertirse en su niñera o madre postiza.

La clave para manejar en forma efectiva el desafío de padres ancianos consiste en tener expectativas realistas. Usted debe hacerse cargo de las cosas que *puede* hacer sin recriminarse por aquello que no puede cambiar de su progenitor o su estado. Todos los casos presentan desafíos diferentes y las reacciones a los ofrecimientos de ayuda de los hijos son muy dispares. Si usted comienza por comprender sus propias emociones y luego hace una oferta concreta de lo que puede brindar, tendrá más posibilidades de evitar conflictos innecesarios.

Un hecho importante que muchos hijos no tienen en cuenta es que muchos de los síntomas físicos y emociones de la vejez pueden tratarse. Con frecuencia, los malestares físicos, la falta de memoria, confusión e insomnio pueden aliviarse luego de un examen médico completo. Lo que parece ser un daño cerebral orgánico o senilidad puede ser un síntoma de depresión, diabetes o hipoacusia. Muchos hijos suelen quejarse de que sus padres no los escuchan por estar absortos en sus problemas. Esto puede deberse, simplemente, a que los padres no oyen lo que se les dice. Se recomienda una evaluación médica competente de estos y otros síntomas.

Más allá de los desafíos físicos y emocionales de la vejez, existen muchas oportunidades para que usted y sus padres construyan una relación íntima y de confianza. Puede ser el momento de averiguar más acerca de la niñez de sus padres, de escuchar su versión de momentos históricos que vivieron y conocer anécdotas sobre parientes ya fallecidos. Incluso usted puede utilizar un grabador o una videograbadora para registrar este legado familiar para la posteridad. Esta etapa también puede servir para investigar sus propios primeros años de vida. En la adultez, este tipo de historias y secretos pueden resultar en extremo valiosos y conmovedores. Invitar a sus padres a compartir fotografías viejas y recordar los hechos que ellas evocan puede ser una experiencia enriquecedora para ambos.

Vivir en la incertidumbre

Para muchos, el peor desafío llega durante los meses o años que siguen al descubrimiento de que su madre o padre sufre una enfermedad incurable. Se vive en el limbo, ya que nadie sabe cuánto tiempo de vida le queda. Uno quiere hacer algo, pero se siente impotente. No sólo hay que ocuparse del torbellino interno sino que además se deben afrontar las necesidades parentales.

Cuando nos enfrentamos a la realidad de que nuestro padre o madre va a morir, no importa nuestro nivel de educación o cultura, la mayoría nos sentimos torpes, asustados o apabullados. Para ejemplificar las luchas y triunfos que pueden tener lugar cuando un progenitor agoniza, una paciente mía describió la situación vivida durante los meses previos a que su padre muriera de cáncer de pulmón.

Margaret, treinta y dos años y asistente de producción de un programa periodístico televisivo, recuerda:

"Cuando fui a casa para Navidad el año pasado, en el instante en que papá salió a recibirme supe que algo malo ocurría. Era un hombre fuerte y vital y ahora estaba delgado, con el rostro flaco y pálido y los ojos vidriosos. '¿Qué pasa?', pregunté. 'Nada', insistió. Después que pasamos el día de Navidad juntos y papá se fue a la cama temprano, mamá me dio la noticia. Papá tenía un tumor. Debía internarse y hacerse unos exámenes para ver si se había expandido. Pregunté a mamá si estaba diciéndome que papá tenía cáncer. Desvió la mirada, como creyendo que si nadie pronunciaba la palabra 'cáncer', el problema desaparecería.

"Al día siguiente no podía dejar de pensar que esto ocurría en el momento más inoportuno con respecto a mi carrera, ya que acababan de ascenderme a asistente de producción y era la primera vez que una mujer ocupaba ese cargo en nuestro programa. No estaba lista para la enfermedad de papá y para todo lo que implicaba. Cuando mamá me llamó con los resultados de los análisis, no lo podía creer. 'No puede ser', pensaba. ¿Por qué papá había sido tan obcecado durante todos esos años en que le pedíamos que dejara de fumar? En medio de esa locura, llegué a fastidiarme con Vickie, mi mejor amiga, porque el bulto que le habían descubierto a su padre en la próstata era benigno.

"El cáncer de papá estaba tan avanzado que los médicos se opusieron a la cirugía. Dijeron que sólo le quedaban unos meses de vida y le ofrecieron algunas drogas experimentales. Si bien yo detestaba la idea de que lo usaran como conejillo de Indias, mamá insistió en que papá y ella habían llegado a la conclusión de que, si existía alguna posibilidad de mantenerlo con vida, estaban dispuestos a pagar el precio.

"Dado que las drogas lo hacían vomitar y perder el cabello, me pasé los días siguientes gastando cientos de dólares en conversaciones telefónicas en busca de una terapia alternativa que papá aceptara. Cada vez que tocaba el tema con mamá, se ponía furiosa. Los médicos me acusaban de obstaculizar el tratamiento. Mi padre estaba enojado porque yo me atrevía a poner en duda su confianza en los médicos.

"En ese horrible cuarto de hospital, papá pasaba los días dormido o drogado. Las pocas veces que tenía deseos de hablar eran peores. Su estado lo volvía impaciente y malhumorado. Casi todas las noches me preguntaba por qué no me casaba con un joven católico agradable y profesional en lugar de salir con mi amigo guionista judío. Yo intentaba ocultar mis sentimientos, pero cualquier cosa que decía empeoraba la situación. Cada vez que besaba la frente de mi padre no podía dejar de pensar que tal vez sería el último beso. Una parte de mí quería que la odisea terminara y que él muriera, mientras que en el fondo de mi ser, gritaba desesperada: '¡No me dejes, papá!'."

Cuando un progenitor agoniza: etapas de pérdida y aceptación

Antes de venir a mi consultorio a analizar sus problemas, Margaret se sentía paralizada por sus emociones contradictorias. Más que nada, quería establecer contacto con su padre. Sin embargo, estaba resentida con él por su temperamento terco e inaccesible, incluso en su lecho de muerte. Quería hacer algo para ayudar a su padre y a los demás miembros de la familia, pero no sabía cómo manejar el trabajo y los conflictos personales que la enfermedad de su padre había traído aparejados.

Durante las primeras semanas luego de saber que la enfermedad de su padre era terminal, Margaret experimentó los síntomas de pérdida. Sufría de falta de concentración, pérdida del apetito y ataques de culpa repentinos. Su rendimiento laboral se vio alterado por el insomnio y la fatiga crónica. Su estado de ánimo fluctuaba en forma errática: en ocasiones se sentía temerosa, triste o irritable sin razón aparente. Tenía frecuentes conflictos con su novio, hermana y padres.

Margaret temía que algo malo estuviera ocurriéndole, pero estos síntomas son típicos de una crisis emocional importante, tal como la enfermedad incurable de los padres. Aunque su padre haya tenido una vida plena, o si la enfermedad no es sorpresiva, o si la relación con los hijos fue poco feliz, la posible pérdida de un padre o madre es un hecho psicológico fundamental que no debe ser subestimado. Al igual que el cuerpo necesita descanso, atención y nutrición para curar una herida, es necesario que apliquemos algunos conceptos de "primeros auxilios" emocionales para comprender y aceptar la muerte de un progenitor. Si bien la mayoría de la gente supone que el duelo y el luto no comienzan hasta que alguien ha muerto, la realidad es que las etapas psicológicas de pérdida, aceptación y recuperación se inician al mismo tiempo que el deterioro mental o la enfermedad parental.

Como muchas familias que se enfrentan a la enfermedad incurable de un ser querido, Margaret, su padre, madre o hermana estaban, en forma individual y familiar, atrapados en sentimientos y necesidades silenciadas. Como expliqué a Margaret: "Para poder ayudar a su padre y a los demás integrantes de la familia, usted debe primero elaborar las etapas de pérdida y aceptación. Hasta que no logre aceptar los sentimientos contradictorios que está reprimiendo, se sentirá frustrada en sus intentos de conectarse profundamente con su padre y compartir su amor con él."

1. SORPRESA Y NEGACIÓN

La primera etapa en el manejo de una pérdida emocional está marcada, en general, por la sorpresa y la negación. Es posible que usted se pregunte: "¿Por qué a mí?", "¿Por qué tuvo que pasar ahora?", "Si el médico hubiera...", o "Si yo hubiera...". En un inútil intento por modificar el pasado, su mente juega con preguntas sobre lo que usted o su progenitor podrían haber hecho en forma diferente. Margaret, por ejemplo, sentía: "No es el momento oportuno" y se preguntaba: "¿Por qué papá no dejó de fumar?" y "¿Por qué no prueba las terapias alternativas que a mí me parecen mejores?". En ocasiones, se despertaba "deseando que todo fuera una pesadilla y mi padre estuviera saludable y activo otra vez". En el trabajo, "fingía que no pasaba nada" y "reprimía mis temores tratando de estar alegre".

No importa cuánto tiempo pase usted meditando sobre el pasado o intentando negar sus sentimientos, tarde o temprano tendrá que enfrentarse con la inmediata realidad de la situación. Está sufriendo. La intensidad del dolor puede sorprenderlo o asustarlo. Necesita descansar y reducir las demás presiones en su vida. Hay que darse permiso para faltar al trabajo; llamar a los amigos más íntimos para pedirles apoyo emocional. Hacer saber si usted necesita compañía o ayuda con las compras, los niños u otras obligaciones cotidianas. No tema estar triste, llorar en privado, o descargar su furia.

Muchas familias ocultan la gravedad de la enfermedad ante el paciente, los niños, amigos y socios hasta el final. En otros casos, las promesas irreales como "No hay nada de qué preocuparse; todo estará bien", "Te sentirás mejor después de la operación", o "Los médicos dicen que pronto volverás a casa", suelen crear más problemas que soluciones.

Aunque todos necesitamos mantener viva la esperanza y tampoco es bueno descartar la posibilidad de una remisión o una mejoría, las promesas falsas y la negación excesiva sólo producen desconfianza y alienación. Como todos aprendimos en la infancia, no hay nada peor que quedar excluido de un secreto. En lugar de hacer promesas que no le será posible cumplir, usted puede aliviar la angustia del enfermo con ofrecimientos que puede garantizar: que usted será su representante ante los médicos y el hospital, que hará todo lo posible porque se reduzca el dolor y que pasará el mayor tiempo posible junto a su progenitor.

Durante la etapa de sorpresa inicial del diagnóstico, de las decisiones y del enfrentamiento con la penosa realidad, tal vez advierta que no puede pensar con claridad y que su energía ha disminuido debido a los confusos impulsos que lo embargan. Su progenitor corre peligro de muerte y su familia está en crisis. Usted tendrá que manejar información médica muy compleja y reordenar las prioridades fundamentales. Muchas personas independientes y fuertes se vuelven indefensas e inseguras cuando se enteran de que su padre o madre está muriendo. En vez de temer estos sentimientos inevitables, usted debe aceptar que constituyen el principio de un lento proceso de aceptación y recuperación.

Es posible que surjan terribles sentimientos de culpa e ideas suicidas como expresión de su tumulto interior. Estos pensamientos no son un peligro en sí mismos; son síntomas del dolor. Si tiene miedo de dejarse llevar por estos impulsos suicidas, busque de inmediato la ayuda de un profesional o vaya a la guardia de emergencia de su hospital local. A pesar de que la intensidad de sus emociones lo perturbe, tenga en cuenta que se recuperará. La curación lleva tiempo. Al margen del grado de impotencia, irritación o confusión que sienta, recuerde que sólo se llega a la aceptación y recuperación a través de una experiencia completa de todas las etapas del luto.

2. IRA Y DEPRESIÓN

Una vez que usted comienza a aceptar el impacto de la enfermedad de su progenitor sobre sus emociones, se inicia la segunda etapa de la recuperación: la ira y la depresión. Para algunas personas, esta etapa de cambios de humor, recuerdos e introspección es relativamente breve; para otras, constituye un proceso que va y viene durante toda la enfermedad parental. A fin de manejar bien la tristeza, furia, ambivalencia y tormento interior de esta etapa, las siguientes premisas son esenciales:

Sienta el dolor. Si se hubiera quebrado una pierna, no dudaría en pedir ayuda y tomarse el tiempo necesario para descansar y recobrar fuerzas. Su progenitor está muriendo. Permítase sentirse triste, llorar o estar a solas con sus recuerdos. Si no está dispuesto a satisfacer sus necesidades emocionales, el dolor acumulado podría traerle problemas en el futuro. Sea amable con usted mismo, reafirme sus creencias y deje que lo consuelen. Si el enfermo es el único progenitor que le queda, quizás experimente la sensación de vacío de orfandad. Dos de las personas más importantes de su vida ya no estarán

226

con usted. Aunque hayan pasado años desde su emancipación, el impacto de perderlos es intenso.

Está bien sentirse enojado. La mayoría de la gente cree que está mal o es una falta de respeto estar enojado con un progenitor que agoniza. La ira es una expresión de la pérdida; el asunto es manejar esta emoción de manera apropiada. Es posible que usted sienta ira contra su progenitor por enfermarse, contra los médicos por no hacer más, contra el otro progenitor, contra usted mismo o el destino. Las rivalidades entre hermanos también suelen reavivarse cuando un progenitor está enfermo o agoniza. En lugar de desquitarse con sus seres queridos, busque un lugar seguro para gritar, llorar o escribir sobre la furia que lo embarga. Si se libera de la ira con estos métodos inofensivos, evitará discusiones, accidentes y úlceras. La ira se disipará a medida que la ira cicatrice. Es importante cuidar de no ahogar la furia de un modo destructivo, como en el alcohol o las drogas.

Vivir en la incertidumbre jamás es fácil. Durante la enfermedad de su progenitor y después de su muerte, sus estados de ánimo fluctuarán con frecuencia. Habrá días en que se sentirá positivo y esperanzado y otros en que se verá agobiado por la tristeza, la culpa o recuerdos dolorosos. Los domingos, feriados y cumpleaños pueden llegar a ser especialmente difíciles. La depresión es peor por la mañana o durante un resfrío o una gripe. En lugar de resistirse a estos altibajos, debe usted mimarse y aceptar su temporaria vulnerabilidad emocional.

Permanecer triste y retraído no es una prueba de amor. Aunque mucha gente supone que enfrentarse con la muerte implica mostrarse apesadumbrado y abatido, la realidad es que usted puede acercarse más a su familia y valorar cada instante precioso. Durante estas penosas circunstancias, usted debe tomar la decisión consciente de inclinarse por lo positivo. Puede aprovechar la oportunidad para compartir viejos recuerdos, expresar amor, hacer preguntas importantes, concluir asuntos pendientes, tomarse simplemente de la mano o estar junto a sus seres queridos sin mayores expectativas o exigencias.

Durante las semanas en que Margaret visitó a su padre en el hospital casi todos los días, manejó sus cambios de humor en una variedad de maneras constructivas. Elaboró sola sus resentimientos. Con la ayuda de su novio, pudo llorar y sentir la tristeza que había estado guardando en su interior. Se permitió admitir que, pese a ser una mujer independiente y exitosa en su profesión, tenía miedo ante la perspectiva de perder a su padre. Comenzó a llevar un diario de sus pensamientos y emociones. Aunque hacía años que no usaba lápices de cera o marcadores de felpa, empezó a dibujar y descubrió que esas imágenes espontáneas le resultaban relajantes y terapéuticas.

En vez de ser una rutina aburrida, las visitas de Margaret al hospital se volvieron más satisfactorias cuando decidió leer a su padre periódicos, revistas o libros que le gustaran. Según Margaret: "Empecé a valorar las reminiscencias de papá sobre su carrera en política. De chica, solía odiar sus historias porque eran la causa de que nunca estuviera en casa. La política era su mundo, no el mío. Ahora comenzaba a sentirme orgullosa cuando él describía cómo empezó, sin educación y con dos trabajos para mantener a su familia, y cómo creció dentro del partido hasta convertirse en una importante figura demócrata. Ansiaba que me contara cómo había ayudado a John F. Kennedy a ganar las elecciones y me encantaba observar su rostro encendido al relatar, por enésima vez, cuando le había dicho a un juez de la Suprema Corte: 'He quebrantado algunas leyes en mis tiempos y lo volvería a hacer por un amigo honesto'".

3. ACEPTACIÓN Y COMPRENSIÓN

La etapa final de la cicatrización del dolor emocional está marcada por la aceptación y la comprensión. Aceptar significa hacer las paces con la enfermedad y la inevitabilidad de la muerte. Aunque su progenitor muera en cualquier momento, usted valora cada instante de intimidad. Comprender significa respetar los sentimientos y necesidades parentales, al igual que los propios, sin juzgarlos ni criticarlos.

Aceptación no es lo mismo que resignación o pérdida de esperanza. Inclusive el paciente más grave necesita y merece la esperanza de una posible mejoría. En lugar de desafiar la muerte, la aceptación le permite vivir los últimos días, semanas o meses de vida de su progenitor con tranquilidad y afecto sereno. Cuanto más pueda dejar a su progenitor morir en paz, más fácil resultará para él o ella terminar con aquello que cree inconcluso y lograr una sensación de plenitud y satisfacción. Para muchos padres, la peor parte de morir es la incertidumbre de no saber si sus vidas fueron útiles o si sus responsabilidades para con sus hijos han concluido. Decir a su progenitor cuánto entiende y valora usted los aportes con que él o ella han contribuido a su vida, constituye un importante regalo que vale la pena compartir.

Ciertas personas tienden a pasar por alto la ira y la depresión y a avanzar con rapidez hacia la aceptación debido a la creencia en la vida después de la muerte. No importa la fe que profesemos, debemos aceptar nuestros apegos humanos y elaborar nuestros sentimientos de pérdida y abandono. Sólo si completamos nuestro duelo personal podremos valorar mejor los aspectos eternos de la vida. Desde el punto de vista trascendental, la muerte se convierte no sólo en un final sino en el inicio de la nueva aventura espiritual en la que los seres queridos permanecen unidos para siempre.

Para muchas personas, la aceptación implica dejar de desear que el progenitor enfermo tuviera una muerte diferente. Con frecuencia, los médicos se sienten especialmente culpables, inútiles o amargados cuando sus propios padres sufren enfermedades dolorosas o experimentan angustia emocional. La gente con fuerza de voluntad suele exhortar al enfermo a "no rendirse" o "no entregarse". Si bien es natural querer "salvar" a nuestros padres o desear atenuar su sufrimiento, ellos no están obligados a vivir o morir de acuerdo con nuestras expectativas, deseos o valores.

Alcanzar la aceptación y la comprensión significa dejar de querer que su progenitor sea diferente de lo que es. Si su padre o madre mide un metro setenta, no tiene sentido desear que mida un metro noventa. Del mismo modo, si a usted todavía le gustaría que sus padres hubieran sido más abiertos, comprensivos o afectuosos o que hubieran vivido diez años más, ha llegado el momento de aceptar lo que es y siempre será. Desear cambiar, criticar o culpar a sus padre no sólo es injusto para con ellos sino que a usted le impide lograr la tranquilidad necesaria para enfrentar la pérdida inminente.

"¿Qué le digo?"

Mientras Margaret elaboraba sus emociones en las diversas etapas de la pérdida, hubo ocasiones en que se sintió incómoda por no saber cómo abordar ciertos temas delicados con su padre. Como muchos hijos de padres ancianos o agonizantes, no sabía cómo expresar su punto de vista sin decir algo incorrecto o verse involucrada en un conflicto. A modo de regla general, le sugerí que recordara tener presentes las necesidades y sentimientos de su padre y buscar una manera de formular sus opiniones sin criticar ni intentar cambiar a nadie.

Por ejemplo, Margaret estaba en contra de la quimioterapia experimental que, para ella, enfermaba más a su padre y lo hacía sentir más molesto que el cáncer en sí. Para ayudarla a tratar el tema sin atacar la fe de su padre en los médicos y sin criticar su necesaria esperanza en una curación, la alenté a que se mostrara compasiva y firme a la vez. Margaret dijo a su padre: "Papá, la quimioterapia es experimental y, de acuerdo con los médicos, sólo te da un diez por ciento de probabilidad de prolongar tu vida. Al mismo tiempo, produce una serie de efectos colaterales que pueden acortarla o incomodarte mucho. La otra posibilidad que te queda es abandonar la quimioterapia e ir a casa con atención especializada las veinticuatro horas. La elección, papá, es tuya y te apoyaré en lo que decidas. Mi objetivo fundamental es que estés cómodo y que sepas que te acompañaremos en todo."

Con manifestaciones igualmente empáticas y sin presiones, Margaret pudo ayudar a su padre en una serie de temas antes prohibidos en la relación entre ambos. Con su madre y su hermana, Margaret ayudó a su padre a ultimar los detalles de su testamento. Le preguntaron qué quería para su funeral y qué instituciones benéficas deseaba que sus amigos respaldaran en su honor. Cuando Margaret le preguntó: "¿Quieres ver a alguien?", el padre le pidió que llamara a su hijo mayor, a quien no había visto en veinte años. Cuando el hermano mayor de Margaret fue a verlo y pasaron una hora solos, ambos tenían los ojos llenos de lágrimas.

Alegría mezclada con pena

Seis semanas antes de morir, el padre de Margaret decidió que quería pasar el tiempo restante en su casa porque "deseo estar cerca de mis cosas y contemplar mi paisaje favorito desde la ventana de mi cuarto". Según Margaret, las últimas semanas fueron una época inolvidable y preciosa. "Algo cambió en papá cuando salió del hospital y regresó a su soleada alcoba. Durante varios días, sus viejos amigos vinieron a visitarlo. Los momentos que pasé allí fueron oportunidades de estar unida a él. En vez de dejarme llevar por sus defectos, descubrí que su personalidad me agradaba.

"Cuando recibía un llamado telefónico y no podía sostener el auricular, yo lo hacía por él. Si la enfermera necesitaba ayuda para darlo vuelta o acomodarle las sábanas, yo colaboraba incorporándolo. Se aprende mucho sobre la muerte cuando se comparten los hechos simples y la callada intimidad de alguien que está aprendiendo a marcharse. Morir no tiene que ser una experiencia terrible.

"En ocasiones, él y yo sólo nos mirábamos y llorábamos. No había nada que decir o hacer, sólo amarnos. Ambos teníamos miedo y sin embargo, en esos momentos nos conectábamos en un nivel más allá del temor. Los últimos días, papá dormía mucho y hablaba poco. En una oportunidad, abrió los ojos y me preguntó: '¿Sabés dónde queda Benton Harbor?'. Le respondí que en Michigan. Entonces él sonrió y agregó: 'Anoche tú y yo fuimos allí en mi viejo Packard. Salimos a navegar en bote y luego nos detuvimos a comer pizza. Fue muy divertido'. Le acaricié el rostro y le devolví la sonrisa. Los dos sabíamos cuánto nos amábamos.

"A pesar de que era consciente de que se estaba muriendo, papá mantenía vivos sus sueños. Un día, en mitad de un sueño inquieto, abrió los ojos y me dijo: 'Meg, voy a escribir un libro'. Le pregunté sobre qué y él respondió: 'Sobre cómo me enfrenté a la muerte con mi esposa y mis hijos'.

233

"Al ver lo tranquila que yo me sentía con papá, mamá comenzó a dejar de lado sus defensas. Solíamos conversar hasta tarde mientras los demás dormían. Cuando yo estaba en el trabajo, mamá permanecía sentada junto a papá, tomándolo de la mano y sin hablar. El hecho de entrar y verlos tan enamorados fue una de las experiencias más enriquecedoras de mi vida.

"Luego de que papá murió, mamá, mi hermana y yo nos quedamos sentadas junto al lecho durante una hora antes de llamar a la funeraria. Lloramos juntas, nos abrazamos y sentimos cómo su espíritu nos rodeaba. Ese día nos unimos para siempre. Había tanto amor en esa habitación; Dios fue generoso al permitirnos despedirnos de papá con tanta ternura y emoción. Lloré mucho durante los días que siguieron y todavía siento oleadas de alegría mezclada con pena. Mi padre me enseñó muchas cosas, pero lo más importante ha sido que su muerte me enseñó a valorar el milagro de estar viva. Durante sus últimos meses estuvimos más unidos que en toda su vida. Siempre me sentiré agradecida por eso."

"No te preocupes por mamá"

Es posible que durante gran parte de nuestra vida hayamos dado por sentado la presencia de nuestros padres, seguros de que "él (o ella) nos sobrevivirá a todos" o que "si necesitan algo, lo dirán". De hecho, la mayoría de los padres se resiste a pedir ayuda a los hijos. Casi todos los hijos, por su parte, se sien-

234

ten incómodos al abordar temas como situación económica, vivienda, vejez o muerte.

Cuando hijos y padres no se comunican, el resultado es una oportunidad perdida de resolver la relación. El padre o la madre muere en forma repentina y los hijos se quedan sin expresar su amor, con asuntos sin resolver, la inevitable culpa y el remordimiento. Para ilustrar los problemas que pueden surgir al enfrentarse a la muerte súbita de un progenitor, pedí a un colega médico que describiera sus sentimientos con respecto a la muerte de su madre. Una mujer que "dio todo por sus hijos", la madre de Charles había tenido once, incluyendo uno que murió de pequeño y otro con parálisis cerebral. Charles recordaba:

"Mi graduación de la facultad de medicina fue un evento de gala. Mis ocho hermanos y mamá y papá estuvieron presentes. Mamá parecía enferma, pero nadie le prestó mucha atención. 'Siempre es así', dije a mi novia. 'No te preocupes por mamá'.

"Durante años, mamá había tomado medicamentos para el corazón. En ocasiones, yo solía importunarla y preguntarle: '¿Tomaste tus píldoras?'. Ella se limitaba a sonreír y contestar que sí, aun si no era cierto. Mamá necesitaba controlar todos los aspectos de su vida, al igual que tenía que controlarnos a cada uno de nosotros. La odiábamos y la amábamos por eso. Cuando nos demostraba su amor y afecto, si estábamos enfermos o internados, era un ángel, una enfermera de alma. Llegamos al punto de enfermarnos para obtener su amor. En una familia tan numerosa, nada era suficiente, así que aprendimos a llamar la atención de diversas maneras. Cuando ella se quejaba del corazón o decía que estaba cansada, la ignorábamos o bromeábamos comparándola con 'el peñón de Gibraltar'.

"En el tercer día de mi residencia médica, recibí el mensaje de que mamá estaba en el hospital. Aterrado, llamé a una de mis hermanas y luego al hospital donde la habían internado. Acababa de salir del quirófano. Con voz muy controlada, papá me dijo: 'Está muy mal, Charlie'. Contesté que salía para allí, colgué el auricular y me eché a llorar.

"Preso del pánico, fui a mi casa, busqué algo de ropa y me subí al auto de un salto para cubrir el trayecto de tres horas hasta el hospital. Durante el viaje, lloré y grité: 'No puedes hacerme esto, mamá. Yo quería ayudarte. ¡Me he deslomado para ser médico y ni siquiera me dejas ayudarte!'.

"Me sentía tan responsable por no haber hecho nada... Le había fallado con todas las señales frente a mí. Me dolía recordar todas las veces en que podía haber hecho algo.

"Por suerte, llegué entero al hospital y corrí hacia la sala de recuperación. Mamá no estaba allí. Las enfermeras me contaron los detalles: émbolos cabalgantes ilíacos, hipoxia cerebral aguda sin vasos para bypass y luego, paro renal. Había muerto quince minutos después de mi llamado.

"Atontado, me disculpé y me apuré hacia la sala de emergencia para buscar a papá. Luego a patología. '¡Mi Dios! ¿Le hicieron una autopsia?'. No podía pensarlo siquiera. Subí al sector de archivos a buscar datos sobre el procedimiento. Maldije a los médicos. Jamás le hicieron un análisis de sangre. ¿Qué nivel de potasio tenía? ¡Sabían que se trataba de una paciente cardíaca!

236

"Después volví al frente interno, al duelo silencioso, a miradas perdidas y conversaciones inútiles. Resultaba extraño ver a papá tan tranquilo y controlado, como si la muerte fuera una fría realidad: los preparativos de la casa, cerrar las cuentas bancarias, la tumba y la lápida, el ataúd y su precio. ¿Parecerá poco? ¿De dónde saldrá el dinero para pagar la universidad de mis hermanos?

"Observé el torbellino interno de mi padre mientras él se debatía con estas decisiones. Lo vi envejecer en días. Todos parecíamos zombies. Aturdidos, sólo en ocasiones lográbamos emerger para sufrir juntos. Nos protegíamos tratando de concentrarnos en las tareas inmediatas: 'Angela llega a las seis de Florida. Joan y Bruce la irán a buscar'.

"Ver el cuerpo me dio náuseas. Yo, que había hecho tantas autopsias, que había visto la muerte tantas veces durante mi capacitación médica, sentía horror al contemplar el cadáver de mi madre.

"En su mayor parte, esos primeros días estuvieron llenos de confusión, una sensación de vacío, tristeza porque mamá se había ido y furia porque no se había despedido. Todos sus hijos nos sentíamos parte de un gran despliegue realizado para los parientes, la atracción principal de un espectáculo que todos venían a presenciar.

"Seis semanas después, los llamados telefónicos a mi padre todavía rezuman soledad. Tratamos de elaborar la culpa, la sensación de que le fallamos a mi madre, diciendo que no pudimos hacer nada. A veces, las explicaciones tienen sentido. No obstante, aún me siento incapaz de comprender o de aceptar que ella ya no está conmigo.

"Recuerdo que me decía que vivía para la maternidad. 'Mis hijos son mi vida; viviré y moriré por ellos.' Luego, con lágrimas en los ojos, se lamentaba: 'No me digas que no soy feliz. Todo lo que quiero es que mis hijos crezcan saludables y exitosos'.

"Mental, física y emocionalmente, esta familia consumió todo lo que un individuo podía dar. Si tan sólo hubiera tenido la oportunidad final de agradecerle, de valorarla, de decirle: 'Te amo, mamá'..."

Cómo recuperarse de la muerte repentina de un progenitor

Las etapas de pérdida y aceptación que se atraviesan cuando un progenitor muere en forma súbita son similares a las que se experimentan ante una enfermedad grave o la agonía de los padres. Cuando se enteró de la muerte de su madre, Charles entró en estado de shock. Desesperado, registró los archivos del hospital buscando algo que los médicos no hubieran hecho. Estaba enojado con los médicos, con su madre y, en especial, consigo mismo por no haber hecho algo más. Los cambios de humor y la depresión comenzaron durante el funeral y lo afectaron en distinta medida a lo largo de los meses siguientes.

A pesar de que Charles retomó su trabajo a los pocos días, pronto descubrió que el proceso de cicatrización lleva más tiempo. Cuando creía que la pena había cedido, los recuerdos o situaciones familiares lo sumían en la inseguridad y la tristeza. Trató de reprimir sus sentimientos, pero no tardó en darse cuenta de que necesitaba compartir su dolor con su novia y un colega.

Además de la pena que usted siente, recobrarse de la pérdida de un progenitor es una oportunidad de valorar los dones que él o ella le han brindado. Al recordar lo mejor de sus padres, usted mantiene vivos sus espíritus y continúa el aporte que le hicieron a usted como hijo y a otras personas que los conocieron. Las raíces, tradiciones y herencia étnica que le legaron pueden resultar aún más significativos después que han muerto. Las creencias y valores que defendieron pueden volverse más comprensibles y valiosos si usted estudia sus vidas desde una perspectiva más amplia.

Una experiencia que ayudó a Charles fue revisar las cartas, fotos y recuerdos acumulados. En lugar de guardar todas las cajas en un armario porque revisarlas podría resultar doloroso y prolongado, usted puede hacer de esta tarea una oportunidad de redescubrir a su progenitor muerto y de valorar el hecho de que él o ella haya conservado las cartas, dibujos y regalos de cuando usted era niño.

Por otro lado, debe tener cuidado de no dejarse tiranizar por el deseo de "hacer todo exactamente como mamá (o papá) hubiera querido". En vez de tratar de compensar el pasado, es necesario aceptar que lo hecho, hecho está. Usted no puede hacer regresar a su progenitor, ni tampoco obtener su perdón con un intento desmedido por compensar necesidades no satisfechas.

Durante los primeros meses después de la muerte de su madre, Charles descubrió que "trabajaba como loco en la residencia. Era como si quisiera probarle a mamá que había tomado la decisión correcta. Me estaba matando al asumir más obligaciones de las que podía manejar". La muerte repentina de uno de sus padres puede forzarlo a reanalizar sus prioridades. Si usted ha estudiado una carrera o mantenido un matrimonio o estilo de vida para complacer a su padre o madre, el enfrentamiento con lo que *usted* realmente quiere resulta inevitable. Si siempre se ha considerado protegido, ingenuo o despreocupado, la muerte de uno o ambos padres puede alterar por completo la percepción que usted tiene de la vida. Además, la crisis de la muerte de un progenitor suele acelerar decisiones relacionadas con el crecimiento personal. En este período en que la mente está confusa y poco clara conviene pensar dos veces antes de realizar grandes cambios. En muchos casos, la muerte de un progenitor lo obligará a reconsiderar sus sentimientos con respecto al matrimonio y el divorcio, a tener hijos, a cambiar de carrera y al grado de compromiso que tiene para con su salud y sus seres queridos.

Aceptar la muerte de un progenitor incluye estar en paz con los momentos felices y tristes que se han compartido. Comprender el impacto de la vida y la muerte del padre o la madre puede suponer el descubrimiento de cómo los conflictos ayudaron a que usted se convirtiera en un ser humano más fuerte y capaz. Si bien algunas personas recuerdan sólo las amargas disputas y otras logran borrar todo excepto los momentos felices, hacer las paces con su progenitor muerto le permite aprovechar todas las experiencias de la relación y crecer como individuo.

Dejar de lado las expresiones "Si hubiera..."

Así como Charles sintió una serie de remordimientos por la muerte de su madre, todos, en mayor o menor medida, nos sentimos culpables cuando muere un progenitor. Si su madre murió en el parto, si sus padres murieron cuando usted era niño, o si por alguna razón se sintió responsable de la enfermedad o accidente que causó la muerte de su padre o madre, es posible que usted lleve en su interior un tremendo remordimiento. Incluso si su progenitor murió luego de una vida plena y prolongada, es posible que usted se sienta culpable por cosas que hizo o dejó de hacer.

Hay personas que parecen conservar sus emociones no resueltas "por respeto" al progenitor muerto. De hecho, para amar, respetar y recordar con alegría a los padres, usted debe liberarse del dolor, la vergüenza y la desilusión que guarda en su interior. Elaborar la culpa requiere dejar de lado las expresiones "si hubiera..." que le impiden hacer las paces con su padre o madre.

Siguiendo mis instrucciones, Charles se preparó para este ejercicio reservándose una hora libre para estar solo. Desconectó los teléfonos, colgó un cartel de "No molestar" en la puerta de su estudio y se sentó con una lapicera, un block de papel, una caja de pañuelos descartables y una serie de viejas fotografías y recuerdos de su madre. Dado que la mayoría de las personas consideran que se trata de un ejercicio emocional, usted debe asegurarse de darse el tiempo y la privacidad suficientes para elaborar a fondo sus sentimientos. En muchos casos, el ejercicio toma entre treinta minutos y una hora y debe repetirse varias veces o siempre que la culpa perturbe su paz interior.

Como si le escribiera una carta a su progenitor, haga una lista de las cosas que lamenta en la relación con él o ella. La lista deberá incluir aquello que usted hizo o dejó de hacer y que hace que se sienta culpable o lleno de remordimientos. También debe incluir las cosas que le hubiera gustado haber dicho a su padre o madre en vida. Para muchos, estos recuerdos emergen enseguida. En algunos casos, sin embargo, los remordimientos están profundamente enterrados y tardan en liberarse. Por esta razón, es valioso repetir este ejercicio varias veces.

El ejercicio de los remordimientos resulta útil para dejar de lado las expresiones "si hubiera..." con respecto a un progenitor recién fallecido o uno muerto mucho tiempo antes. Tener la oportunidad de elaborar la culpa, resolver algún tema pendiente o manifestar el afecto inexpresado representa un gran beneficio psicológico. En ocasiones, es posible que sienta una oleada de emoción mientras que, en otras oportunidades, tendrá la sensación de que "no pasa nada". De todos modos, es importante realizar el ejercicio.

Charles descubrió que al observar una fotografía de su madre y de él cuando era chico, recordaba incidentes y sentimientos que creía haber olvidado hacía mucho tiempo. Cuando comenzó a redactar su lista de remordimientos, Charles sintió "una increíble liberación. Rompí a llorar y seguí escribiendo sin parar. Tenía tantas cosas que decirle a mi madre, cosas que jamás tuve el coraje o la oportunidad de expresar".

En la lista de Charles figuraban los siguientes remordimientos:

Querida mamá:

Lamento que tuviéramos una discusión la última vez que nos vimos.

Lamento no haber tenido la oportunidad de despedirme de ti.

Lamento no haber estado contigo cuando moriste.

Lamento las preocupaciones que te causé todas esas noches cuando estaba en el secundario y no te avisaba que no volvería a casa a dormir.

Lamento las veces en que olvidé llamarte o escribirte para tu cumpleaños.

Lamento la vez que te avergoncé en misa por reírme en mitad del sermón.

Lamento que no me hayas podido ver casado.

Lamento no haberte dado nietos.

Lamento que nunca hayamos podido pasar un día juntos como amigos.

Lamento que no estés aquí ahora para consolarme.

Cuanto más específicos sean los remordimientos, más liberará usted su dolor. El objetivo de este ejercicio no es dilatarse en la culpa o criticarse a usted mismo. Aferrarse a la tristeza y al dolor no constituye una forma apropiada de respetar y honrar a su progenitor muerto. En vez de seguir castigándose a usted mismo, este ejercicio le ayudará a perdonarse como parte del proceso de amor y valoración de su progenitor.

Al compartir esta lista con su novia y uno de sus hermanos, Charles pudo romper el aislamiento emocional que había sentido desde la muerte de su madre. Su hermano, que también estaba abrumado por la culpa, se benefició con la oportunidad de ventilar sus propios remordimientos. Charles y su novia se unieron mucho más cuando él pudo explicar sus sentimientos hacia su madre y los cambios de humor que había experimentado desde su muerte.

Sea compasivo con usted mismo

Es esencial que usted se sienta perdonado por sus culpas. Una forma efectiva de terminar con las expresiones "si hubiera..." consiste en visualizar a su padre o madre escuchando sus remordimientos, comprendiendo sus sentimientos y otorgándole su perdón. Cierre los ojos y visualice a su progenitor escuchándolo, sonriendo y consolándolo diciendo: "Te perdono". También puede imaginar a su padre o madre acariciándole el rostro, tomándolo de la mano o abrazándolo.

Si le cuesta imaginar a su progenitor, mire una vieja fotografía y comparta sus remordimientos con esa imagen hasta que sienta que él comprende y acepta su amor. Una vez más, el propósito de este ejercicio no es castigarse recordando antiguos conflictos. Al visualizar a su progenitor perdonándolo y recibiendo su amor de hijo, usted liberará el resto de culpa que aún albergue.

Como parte adicional del duelo, piense por un momento en las palabras o sentimientos que siempre esperó de su progenitor y jamás recibió. ¿Qué tipo de atención, halago o expresión de amor y apoyo esperaba usted de su padre o madre? ¿Qué le hubiera gustado escuchar para sentirse más íntegro? Cierre los ojos e imagíneselo diciendo o haciendo aquello que usted más deseó. Dése varios de estos "tratamientos". Sienta el alivio que supone ser finalmente comprendido y valorado por los padres.

A modo de ejemplo, Charles imaginó a su madre diciéndole las palabras que siempre ansió escuchar de ella. Con los ojos cerrados, vio el rostro de su madre y oyó que le decía: "No trabajes tanto, Charlie. Sé feliz. Te amo". Mediante el uso repetido de esta visualización, Charles se permitió sentir el perdón de su madre. Descubrió que ya no tenía que abrigar culpa por su muerte. Tampoco tenía que seguir esforzándose por conquistar la aprobación de ella ni de ninguna otra persona. Según Charles: "Aún me siento motivado, pero estoy menos tenso. Ya no me hago a mí mismo lo que mi madre se hizo a sí misma y a sus hijos. Ahora que no me desvivo por lograr su aprobación, me siento más cerca de ella que nunca."

7

CÓMO CONVERTIRSE
EN SU PROPIO PROGENITOR

Cuando usted era niño, sus padres eran responsables de su salud y felicidad. Un bebé no puede alimentarse, vestirse ni cuidar de sí mismo. Un niño pequeño necesita la ayuda de otros para sobrevivir física o emocionalmente. Debido a su total dependencia, usted tuvo que aprender a actuar de modo de lograr que otras personas hicieran aquello que usted no podía. Descubrió cómo llorar cuando tenía hambre, hacer pucheros cuando se enfadaba, ser testarudo para salirse con la suya y mostrarse simpático para acaparar la atención de alguien.

Como adultos, conservamos necesidades psicológicas básicas de cuidados, estímulo y afecto. La mayoría supone que la responsabilidad de satisfacer estas necesidades recae fuera de nosotros: si estamos de malhumor en casa, culpamos a nuestra pareja; cuando nos sentimos frustrados en el trabajo, acusamos a nuestro jefe o al "sistema"; cuando advertimos algo en nosotros mismos que nos disgusta, tendemos a responsabilizar a nuestros padres por "habernos hecho de ese modo".

Siendo adultos recurrimos a métodos más sutiles que los pucheros y rabietas infantiles, pero encontramos maneras de acudir a otros para que nos den aquello que nos negamos a nosotros mismos. ¿Cuántas veces ha encogido usted los hombros, adoptado una expresión de víctima o expresado quejas para que alguien se compadezca y se haga cargo de su problema? ¿Con cuánta frecuencia ha fingido no poder hacer algo cuando de hecho podía pero no lo deseaba? ¿En cuántas ocasiones ha esperado que circunstancias externas lo obligaran a actuar en vez de tomar una decisión propia?

Aun cuando hayan pasado años desde que usted dejó de depender de sus padres para su sustento, decisiones y afecto, es muy probable que todavía desee secretamente que ellos u otro (un amante paternal y generoso, una amante maternal y dadivosa, un Príncipe Encantado o un milagro) acudan en su rescate. En vez de hacerse cargo de su vida y de vivir de acuerdo con su potencial, quizás esté esperando que alguien lo haga por usted y resintiéndose porque nadie lo hace. Para hacer las paces con sus padres es de fundamental importancia que descubra que usted es responsable de su propia salud y felicidad. Como adulto, tiene la oportunidad de convertirse en ese buen educador, maestro y guía que ha estado buscando en otra parte durante tiempo. En lugar de quejarse de que sus padres no satisficieron sus expectativas, usted puede aprender a darse aquello que le ha estado faltando.

Nútrase usted mismo

Muchas personas se tratan a sí mismas como si fueran criminales. Criticándose y desaprobándose mucho más de lo que lo hicieron sus padres, estos individuos van por la vida temerosos de correr riesgos, incapaces de reconocer sus propios méritos y solamente conscientes de sus fracasos y defectos.

¿Cuando usted siente miedo o está enfadado, se alienta con la frase "Estoy de tu lado" típica de un progenitor afectuoso o actúa como un progenitor crítico y censurador diciéndose "¡No seas tan sensible!"? ¿Cuando sufre una desilusión o un traspié, se dice "Igual te quiero y ya habrá otra oportunidad", o se regaña con comentarios del tipo de "Sabía que no lo lograrías", "¿A quién tratas de engañar?", o "Más vale desistir ahora que hay tiempo"? Sin duda alguna, usted internalizó de sus padres un surtido bagaje de actitudes tanto estimulantes como críticas. Ahora tiene la oportunidad de convertirse más conscientemente en el tipo de progenitor que necesita.

Ser su propio progenitor no implica convertirse en un hedonista indulgente que debe satisfacer cada uno de sus deseos. A menudo, esto más bien significa negarse a hábitos autodestructivos como el de obrar con dilación, la drogadicción, el alcoholismo o la autocrítica crónica. El crecimiento incluye la integración de valores en apariencia opuestos. El exceso de libertad casi siempre produce caos y frustración; el desarrollo personal supone integrar la libertad dentro de límites autoimpuestos. El arte de la moderación, el fijar límites con comprensión y placer, constituye una parte crucial de la formación de uno mismo y una manera de demostrar cuánto afecto sentimos por nosotros mismos. Nutrirse a uno mismo puede significar concederse un día libre muy merecido, alimentarse más sanamente o alentarse en el trabajo. Puede ser perdonarse por una equivocación desafortunada u ofrecer servicios voluntarios a otros.

El crecimiento personal no resulta del odio hacia uno mismo. Si usted ha estado intentando adelgazar porque no soporta su aspecto y se odia cada vez que sube a la balanza, cualquier pérdida de peso durará poco. Una semana o un mes después, recuperará los kilos perdidos. El odio hacia uno mismo mina la mejor intención de alcanzar una ambición por esfuerzo propio.

La paradoja del crecimiento personal es que usted debe aprender a quererse tal como es como base para un cambio positivo duradero. En vez de que el odio hacia usted mismo inmovilice su vida, su energía estará libre para apoyarlo en la realización de los cambios escogidos. Su autovaloración no depende de su decisión de perder nueve kilos. Quererse, con una dosis equilibrada de aceptación y autodisciplina, es fundamental para mantener su peso ideal mediante una alimentación adecuada, la reducción de estrés y ejercicios.

Hacerse cargo

Aunque sepa intuitivamente que sólo usted es responsable de su propio bienestar y que debe hacer más por usted mismo, saberlo y hacer algo al respecto son dos cosas muy distintas. Para muchas personas, los hábitos de buscar valoración y apoyo fuera de sí mismas están profundamente arraigados. Por mucho que se prometen "Hoy empiezo", pronto recaen en la evasión de tomar decisiones y en la espera ansiosa de ser rescatadas. Por más que se dicen "Necesito hacer algunos cambios en mi vida", están paralizadas por su propia autocrítica y el temor a dar el primer paso.

Dado que el crecimiento personal resulta de aceptarse y valorarse tal como uno es en cada paso a lo largo del camino en la consecución de un objetivo, usted tendrá que hacer las paces incluso con aquellos aspectos suyos flojos y mezquinos que mantiene ocultos de los demás. Todos los tenemos; bienvenido a la raza humana. Si usted resiste su lado mezquino u oscuro, es probable que éste persista y termine ejerciendo control sobre usted. Al aceptarse completamente, usted será más capaz de aceptar las debilidades humanas de otros.

"Tenía que dejar de huir y detenerme"

Convertirse en el progenitor con el que usted siempre soñó es un enorme desafío. El caso de Teri, una diseñadora de modas de treinta años, expone los distintos pasos necesarios para saltar la brecha entre *saber* que uno es responsable de uno mismo y *hacer* lo indispensable para concretarlo.

Teri se había criado en una familia de cuatro hijos en un suburbio de Detroit, y describe cómo "nunca sentí que hubiera nada deficiente en mi crianza. Mis padres solían decirnos cuánto nos amaban. Los niños éramos saludables y normales, obteníamos buenas calificaciones y nunca causábamos problemas serios. Jamás se me ocurrió que alguno terminaría acudiendo a un terapeuta."

Cuando Teri vino a verme por primera vez, su vida era un caos. Su empleador había quebrado y despedido a Teri y al resto de las diseñadoras. El segundo matrimonio de Teri atravesaba una crisis y ella acababa de enterarse de que estaba embarazada. Me explicó: "Me parecía una locura traer un niño a este mundo. ¿Cómo iba a ocuparme de él si ni siquiera era capaz de cuidar de mí misma?"

Teri padecía tensión crónica, jaquecas frecuentes e insomnio. Su estrés emocional había ido en aumento durante varios años. Según Teri: "Todo parecía andar bien los primeros años después que me mudé de Detroit a Nueva York, estudié diseño de modas y me casé. Pero el matrimonio no duró... él quería una madre y yo alguien que me cuidara. Recuerdo que en ese entonces fui a casa, y al mirar a mamá entrar en el aeropuerto, fue como si la hubiera visto por primera vez. Era regordeta y bonachona, todos mis amigos solían quererla, pero cuando me acerqué a ella, el alma se me fue a los pies. Sentí la frialdad que había crecido entre nosotras durante los últimos años y supe que no habría abrazos ni besos, ninguna palabra de consuelo. El muro que habíamos erigido hacía tiempo sólo nos permitía compartir chismes sin sentido.

"Me pregunté a mí misma: '¿Ni siquiera le importa por qué estoy aquí? ¿Acaso tiene la más remota idea de lo que siento?'. La perspectiva de quedarme sola después del divorcio me aterrorizaba. Necesitaba alguien con quien hablar, pero sabía que mamá no era la persona adecuada. Lo que yo quería y no tenía era ese amor maternal comprensivo y sencillo que suponía debía ser algo natural entre madre e hija. Empecé a contarle lo mal que me sentía, pero no bien comencé a hablar, recibí el familiar comentario: 'Tienes que controlarte, Teri. Todo está bien. No hay motivo para alterarse'.

"Control es la palabra clave. Mamá siempre refrenó intensamente sus sentimientos y se esforzó por asegurarse de que sus hijos se mostraran y actuaran como niños felices y perfectos. Yo estaba demasiado trastornada para tolerar el control de mi madre. Después de unas pocas horas en Detroit, le dije que tenía que regresar a Nueva York. Había ido a casa en busca de comprensión, pero lo único que obtuve fueron recomendaciones de cómo 'debía' sentirme."

Teri consiguió un empleo con un fabricante de indumentaria femenina en Los Angeles y al cabo de varios romances efímeros, volvió a contraer matrimonio a los veintinueve años. Tenía "muchas esperanzas de haber encontrado en Cliff al hombre correcto", pero las discusiones y la desconfianza habían alcanzado tal punto que estaban considerando una separación luego de apenas dieciocho meses. Con la posterior pérdida de su trabajo y la noticia que estaba embarazada, para Teri había "llegado el momento en que tenía que dejar de huir y detenerme. No podía seguir fingiendo que todo mejoraría cuando encontrara el empleo adecuado o el marido apropiado. Tenía pánico de quedarme sola otra vez, pero no sabía qué hacer para hacerme cargo de mi vida."

¿Cómo se trata a usted mismo?

Como muchos de nosotros, Teri nunca había descubierto cómo convertirse en el progenitor que siempre había anhelado tener. No podía aprenderlo de su madre ya que ésta era una mujer insatisfecha que vivía a través de su esposo y sus hijos. Su padre no era de mucha ayuda tampoco. Aunque un hombre de negocios exitoso, sentía temor de sus sentimientos y dependía mucho del apoyo de su esposa. En cuanto al segundo esposo de Teri, no podía vivir la vida por ella. Por mucho que se resistiera, Teri debía aprender a nutrirse a sí misma para experimentar más satisfacción en su vida.

Para ilustrar la importancia de la autovaloración y el autoestímulo, examine las actitudes que adopta hacia usted mismo. La mayoría de las personas son excesivamente severas consigo mismas. Por ejemplo, ¿se siente avergonzado cuando alguien le hace un cumplido? ¿Siempre encuentra algo que criticar en su aspecto cuando se mira al espejo? ¿Suele causarse una molestia diciendo: "Claro, no te preocupes, yo lo haré por ti", cuando en realidad hubiera deseado negarse? ¿Es tímido o renuente cuando se trata de reconocer sus virtudes? ¿Se rehúsa con frecuencia a permitirse relajarse, divertirse o atribuirse méritos porque piensa que no lo merece? Si empieza por reconocer los hábitos de autocastigo que adquirió de niño, podrá transformarlos en cualidades valorizantes y estimulantes.

Como ejemplo, Teri logró superar la crisis en su vida adoptando los siguientes principios.

Principios para adquirir un estilo parental propio

CONSIDERAR LOS PROBLEMAS COMO OPORTUNIDADES

Muchas personas suponen "Sería feliz si pudiera librarme de estos problemas". De hecho, una vez que usted resuelve una serie de desafíos, inevitablemente se topará con otros. La perspectiva es la clave: la vida debe ser desafiante. En vez de dejar que los problemas lo abrumen, puede convertirlos en oportunidades.

Si bien Teri había tenido el coraje de mudarse a Nueva York a los dieciocho años, se había convertido en una diseñadora de modas exitosa y había sido suficientemente independiente para abandonar su primer matrimonio, todavía se describía como "una niñita asustada, siempre esperando que mi mundo se derrumbara como un castillo de naipes". Parte de convertirse en su propio mejor progenitor consiste en aprender a alentarse cuando surgen los temores, las dudas o las resistencias. En lugar de permitir que los desafíos en su vida lo paralicen, utilice la ansiedad como un estímulo para crecer. En vez de esperar que otro encuentre las palabras adecuadas para consolarlo y estimularlo, sea usted

mismo esa persona. Usted no está "desesperadamente solo" en medio de sus problemas; puede
sentirse ayudado y valorado por el amor que se
brinda a usted mismo. Esto implica concederse al
menos la misma comprensión que brindaría a su
mejor amigo.

REAFIRMARSE

Uno de los métodos más poderosos para vencer
el temor y desarrollar fuerza interior es a través de
la práctica de afirmaciones. Al emplearlo puede
eliminar las creencias negativas sobre usted mismo,
alterar actitudes temerosas y darse el mejor "amor
materno" que puede haber recibido o no de sus padres. Las afirmaciones se realizan diariamente
durante un par de minutos y también siempre que
usted se sienta ansioso o infeliz.

Por ejemplo, Teri empezó a escribir las siguientes
afirmaciones varias veces todas las mañanas durante
unas cuantas semanas. Advierta que, en cada caso,
primero escribió una afirmación en primera persona, como proclamándola ella misma; luego la siguiente en segunda persona, como dicha por otro, y
finalmente, una afirmación en tercera persona, como oyendo lo que otro opina sobre ella. Las afirmaciones desde estos tres puntos de vista le ayudarán
a hacer realidad estas cualidades autovalorizantes y
estimulantes. A continuación figuran algunas de las
afirmaciones escritas por Teri:

"Yo, Teri, merezco ser amada."

"Tú, Teri, mereces ser amada."
"Teri merece ser amada."

"Yo, Teri, puedo cuidar de mí misma."
"Tú, Teri, puedes cuidar de ti misma."
"Teri puede cuidar de sí misma."

"Yo, Teri, soy el mejor progenitor con el que jamás soñé."
"Tú, Teri, eres el mejor progenitor con el que jamás soñaste."
"Teri es el mejor progenitor con el que jamás soñó."

Las afirmaciones también pueden enunciarse en voz alta. Siempre que Teri se enfrentaba a un desafío difícil, se paraba frente al espejo y decía: "Confío en ti, Teri. Eres hermosa, afectuosa y fuerte". Las afirmaciones lo ayudan a mantenerse comunicado con su voz interna más positiva.

HAGA MENOS PARA LOGRAR MÁS

Para muchas personas, dar el primer paso es lo más difícil. Cuanto más dilatan hacer algo por sí mismas, más se flagelan con la autocrítica. Fraccione sus proyectos más importantes en porciones pequeñas y manejables y comience cada día con tareas breves cuyo logro le reporte satisfacción. En vez de criticarse y de sentir "No me daré por satisfecho hasta haber terminado con todo", reconozca cada pequeño éxito concediéndose el mérito por ello.

Antes de la terapia, Teri siempre estaba apurada,

nunca tenía suficiente energía y le resultaba difícil relajarse y serenarse. Como muchos de nosotros, descubrió que esforzándose tanto lograba menos. Al final de cada día, se sorprendía apresurándose desesperadamente y sin alcanzar sus objetivos.

Como resultado de aprender a combinar la autodisciplina con el cuidado amoroso de sí misma, empezó a reducir su estrés y a incrementar su productividad diaria. En vez de despertar su ansiedad fijándose exigencias poco realistas y un horario rígido, Teri se aseguró de reservarse una hora libre por día en caso de que surgieran cosas nuevas, demoras inesperadas o simplemente para descansar y relajarse. También aprendió a darse un respiro cuando se sentía fatigada o tensionada. Todos necesitamos matizar el descanso con el trabajo en ciclos diarios para evitar el "agotamiento". Para aumentar su energía y mantener la salud durante su embarazo, Teri se anotó en un curso de MT y reservó veinte minutos antes del desayuno y la cena para practicar meditación.

Al "vivir esclavizada a sus obligaciones", Teri se había privado de las cosas que le gustaban. Después de empezar a escuchar su música jazz favorita, llenar su medio ambiente de plantas y cuadros coloridos, y beber té aromático caliente mientras trabajaba, volvió a disfrutar del diseño de modas. Lo importante en la vida no son sólo los logros alcanzados sino disfrutar de lo que se está haciendo.

Teri también comenzó a dar largos paseos varias veces por semana, a nadar en una pileta cercana, asistir a una clase de gimnasia aeróbica para embarazadas y a intercambiar masajes con su esposo. Tal como Te-

260

ri describió su cambio de actitud: "Solía anteponer cualquier cosa y persona a mí misma y descubrí que no tenía tiempo para ocuparme de mí. Ahora me relajo más, discuto menos y tengo más energía para mi trabajo y mi matrimonio."

SATISFACER TODAS SUS NECESIDADES

Uno de los beneficios de convertirse en su propio mejor progenitor es que no tiene que esperar que otra persona satisfaga sus necesidades. Todos somos individuos complejos y multifacéticos. Con demasiada frecuencia, cuando esperamos que los demás se ocupen de nosotros, terminamos descuidando aspectos importantes de nuestra personalidad.

En el caso de Teri, ella descubrió que, además de su trabajo, matrimonio y salud, deseaba satisfacer sus necesidades intelectuales, espirituales y de amistad. Esto significaba tomarse tiempo para sentarse con un buen libro, almorzar con sus amigas, asistir a cursos de crecimiento personal y retiros espirituales. En vez de sentirse atrapada por la rutina o aislada de sus intereses, Teri aprendió que podía revitalizarse a sí misma constantemente e incrementar su entusiasmo por la vida satisfaciendo sus necesidades personales.

Nacer de nuevo

Durante los nueve meses de embarazo, Teri pasó de ser una persona abrumada por sus circunstancias externas a sentirse satisfecha y a cargo de su vida.

Sus ingresos como diseñadora de modas independiente aumentaron a tal punto que ya no necesitaba
estar fuera de su casa para tener un buen pasar. La
relación con su esposo se volvió más íntima y profundamente comprometida. Su salud mejoró a pesar
de los cambios físicos del embarazo. Según Teri: "Estaba dando a luz no sólo a un bebé adorable, sino a
mí misma también."

En su nuevo papel de madre, Teri realizó grandes
progresos en la relación con su propia madre. "Tener un hijo me ayudó a valorar lo positivo en mamá. Tiene sus defectos, por supuesto, ¿pero quién
no los tiene? Ser madre es una responsabilidad
enorme y debo reconocer que, en general, la mía se
desenvolvió más que bien.

"También me he dado cuenta de que lo que yo
sentía como un control por parte de mi madre era
simplemente su manera de demostrarme su afecto y
preocupación. A veces parece exigirme demasiado,
pero en realidad no es así. Sólo quiere saber que la
amo, que respeto su punto de vista, que no olvidaré
su cumpleaños y que entiendo su preocupación por
mi bienestar. Yo solía sentirme una carga para ella.
Ahora, pese a las desavenencias y momentos tensos
ocasionales, existe una auténtica confianza entre nosotras. Como ya no necesito que me dé el amor maternal que ahora puedo brindarme a mí misma, la
aprecio más y puedo decirle que la quiero. En consecuencia, recibo más amor a cambio."

"Espere a tener hijos"

Los conflictos que usted tuvo con sus padres pueden reaparecer en los conflictos que tenga con sus hijos. Usted o su pareja quizá se sorprendan resentidos porque sus hijos cuentan con libertades o comodidades que ustedes no tuvieron de niños. Por ejemplo: ¿cuántas veces ha dicho u oído decir a otro progenitor: "Jamás me hubieran permitido *eso* cuando yo era chico", "¿Crees que soy estricto? No conoces el verdadero significado de esa palabra", o "Mis padres no pudieron darme nada de lo que tú supones que debo darte". Si experimenta este tipo de resentimientos, es señal de que debe reexaminar la culpa y resentimientos que usted adquirió de sus padres. Cuanto más aprenda a tratarse bien y a cuidar de usted mismo, menos se resentirá por las ventajas al alcance de sus hijos.

Muy a menudo, las parejas se fijan la expectativa poco realista de que ellos "nunca cometerán los mismos errores" que sus padres. Al sobrecompensar a sus hijos por lo que ellos no obtuvieron de sus padres o al pasarse al extremo opuesto en materia de disciplina o estilo de vida, crean inadvertidamente más problemas de los que pueden resolver.

Por otra parte, muchos padres descubren consternados que hacen a sus hijos lo mismo que sus padres les hacían a ellos. Si sus padres utilizaban la violencia física con usted, quizá le cueste controlar su ira y reprimir sus impulsos violentos con sus hijos. Si sus padres eran muy dominantes, moralistas o estrictos, usted puede sentirse resentido con usted mismo o con su pareja por emplear tácticas similares con sus hijos. Si de niño no toleraba las discusiones y los gritos, es probable que se sienta doblemente exasperado durante los altercados con sus hijos.

A veces, la llegada de los hijos puede provocarle resentimiento hacia su cónyuge por recordarle a su madre o su padre. Cuando una esposa cuida de un bebé recién nacido, es muy común que el marido reviva la ambivalencia hacia su madre. Cuando un esposo es generoso o afectuoso con sus hijos, la mujer a menudo reexperimenta enojo por la atención que no recibió de su padre. Cuando uno de los padres está disciplinando a un hijo, al otro le puede enfurecer lo mucho que el estilo de disciplina se asemeja a los traumas infantiles de él o ella.

El siguiente caso demuestra cómo convertirse en su propio progenitor resulta esencial para resolver conflictos de la infancia que reaparecen cuando se tiene hijos.

"No soy mejor que mi padre"

Roger, un socio de un estudio legal especializado en pleitos corporativos, tenía cuarenta años cuando se casó por primera vez. Su esposa, Eileen, una atractiva mujer divorciada con dos hijos adolescentes, había sido en un tiempo una estrella del tenis amateur. Después de la luna de miel en Hawai, Roger y Eileen compraron una casa nueva para ellos y los hijos de Eileen de trece y dieciséis años. Sin embargo, seis meses después de la boda, la "feliz familia" se hallaba en serios problemas.

Como lo describió Roger: "Quería casarme con Eileen. Hasta ahí era fácil. Por desgracia, sus hijos formaban parte del paquete. Desde un principio, los muchachos hicieron todo lo posible para complicarme la vida. Tal vez era una forma de competir por la atención de Eileen o quizá simplemente yo no les gustaba. En todo caso, al cabo de cinco y a veces seis días por semana de mucho trabajo, yo necesitaba relajarme en casa. Me gusta ver fútbol los domingos, pero cuando los chicos invitaban a sus amigos, hacían tanto ruido que no me dejaban oír nada. Algunas noches, llegaba tarde de la oficina e iba derecho a la heladera para prepararme un sandwich o tomar un vaso de leche. Nunca encontraba nada hasta que entraba en el cuarto de los muchachos y descubría comida y leche pudriéndose sobre los muebles. Para peor, cuando me volvía autoritario con esos mocosos, salían llorando a refugiarse en su madre."

Muy pronto, las peleas de Roger con los hijos de Eileen se convirtieron en discusiones con ella. Según Roger: "No importaba que tuvieran razón o no, ella siempre los defendía. Me acusaba de comportarme como un chico más y de sentir encono hacia sus hijos. Y claro que lo sentía. Esos pequeños monstruos me estaban volviendo loco a propósito."

Cuando Roger y yo comenzamos a explorar los recuerdos de su infancia, surgieron similitudes con su situación actual. Así como Roger había sentido siempre que sus hermanos menores le "robaban" el afecto de su madre, ahora sentía la competencia por el cariño de Eileen. Del mismo modo en que se había rebelado contra los arranques de ira de su padre por el "estado caótico de su cuarto", ahora se mostraba dictatorial sobre los dormitorios de los hijos de su esposa. Como se lamentaba Roger: "Durante años evité casarme y tener una familia porque no podía imaginarme como padre. Cuando terminé desempeñando el papel de 'Papá' para los chicos de Eileen, juré que me esforzaría por cumplirlo bien. Ahora parece que no soy mejor que mi padre."

Ejercite habilidades nuevas

Para ayudar a Roger a dejar de repetir los conflictos que había experimentado de niño, le sugerí que reevaluara aquello que contribuye a ser un "buen progenitor" y fuera menos ansioso y más tolerante consigo mismo y con sus hijastros. Como le expliqué: *"Tendemos a criticar en nuestros hijos aquello que más criticamos en nosotros mismos."* Roger era un individuo muy autocrítico y disciplinado. Las exigencias del tipo de "hazlo así o de lo contrario..." que lo habían resentido con su padre eran las mismas que se había aplicado a sí mismo durante años. Ahora, cuando intentaba establecer límites a sus hijastros con ese mismo tono autoritario, éstos se sentían obligados a rebelarse. Sugerí a Roger: "En la medida en que usted sea menos exigente con usted mismo, será más tolerante y complaciente con sus hijastros."

Convertirse en un progenitor más afectuoso y estimulante para usted mismo y sus hijos requiere aprender habilidades emocionales nuevas que pueden adquirirse del mismo modo en que usted adquiere habilidades deportivas o profesionales. Por ejemplo, cuando usted se entrena para mejorar su servicio en el tenis, necesita contar con instrucciones específicas y luego practicar. Al principio, ejercitar una habilidad emocional nueva quizá lo haga sentirse incómodo o como si "no fuera yo". Los antiguos hábitos tienden a reaparecer, de manera que debe entrenarse y supervisarse durante la transición. A través de la práctica, perderá la cohibición y el nuevo comportamiento se convertirá en algo totalmente natural.

Para ayudar a Roger a descubrir el estilo parental apropiado para él, le sugerí los siguientes ejercicios, que usted puede realizar ya sea que tenga hijos o no.

1. REEXAMINE SU INFANCIA

El propósito de este ejercicio es poner al descubierto las cualidades y estilos de disciplina que le disgustaban en sus padres y aquellos que le agradaban. Observando conscientemente los modelos de papeles que recibió de sus padres, será capaz de escoger la mejor forma de guiar, apoyar y nutrirse a usted mismo y a sus hijos.

Desenchufe los teléfonos, coloque un cartel de "No molestar" en la puerta, relájese y tómese al menos treinta minutos para explorar las cualidades positivas y negativas que recibió como modelo durante su infancia. Comience describiendo en detalle las cosas de sus padres que a usted lo hacían sentirse rechazado, menospreciado o no querido. ¿Qué mensajes y ejemplos de "ser un progenitor" le resultaban perjudiciales o ineficaces?

Para ayudarlo a recordar rasgos específicos que usted percibía como poco afectuosos, mire una fotografía de sus padres de cuando usted era niño y recuerde incidentes en que los necesitó y ellos no lograron comunicarle su amor. Por ejemplo, cuando Roger hizo este ejercicio, recordó:

"Cuando solía hacer preguntas a mi padre sobre negocios, él siempre respondía que yo era demasiado chico para entender. Para cuando fui 'suficientemente grande', ya me había marchado de casa y era independiente."

"Al llegar a casa del jardín de infantes, lo primero que mi madre me preguntaba era: '¿Te portaste bien hoy?'. Le importaba más cómo aparecía yo frente a los demás que si había tenido un buen día."

"Cierta vez, rompí el destornillador favorito de mi padre y me apuré a disculparme. Pero cuando él me pegó y me llamó 'estúpido' decidí que nunca más volvería a admitir un error mío frente a él. A partir de entonces, no me permito ser vulnerable con él ni con nadie."

Como resultado de este primer paso, Roger tomó conciencia de muchas formas en las que podía ser un mejor progenitor para sí mismo y sus hijastros. En vez de reprimir su curiosidad o la de ellos adoptando la actitud de "Eres demasiado chico" o "Méte-

268

te en tus asuntos", resolvió ser más accesible. En lugar de cuestionar la conducta de sus hijastros y de mantener en secreto su afecto por ellos, Roger se prometió ser menos crítico y más indulgente.

Luego, Roger examinó los momentos en que se sintió más querido por sus padres. En esta parte del ejercicio, usted debe recordar las ocasiones en que se sintió más valorado, alentado y especial. ¿Qué hacían sus padres para que usted se sintiera amado? ¿De qué modo le trasmitían que la confianza y el respeto mutuos eran posibles? ¿Qué cualidades parentales específicas admiraba usted en su madre y su padre? ¿Qué añora más de su relación de niño con sus padres? Evoque una instancia en que sus padres le enseñaron algo constructivo o compartieron un momento memorable con usted.

Aunque muchas personas tienen dificultades con esta parte del ejercicio, incluso aquellas con recuerdos muy dolorosos logran recordar características positivas acerca de sus padres. Cuanto más pueda usted liberarse de sus resentimientos y evocar las formas en que se sintió querido y valorado, más podrá incorporar esas características a su propio estilo parental. Después de mirar una fotografía de sus padres, los recuerdos de Roger incluyeron lo siguiente:

"Los domingos por la mañana, íbamos con mi padre a la panadería y la fiambrería y después regresábamos a casa para preparar el almuerzo. Él me preguntaba qué tal había sido esa semana en la facultad y cómo me estaba yendo. Papá se sentía muy orgulloso de que yo asistiera a la facultad de derecho."

"Me sentía querido cuando mi madre cerraba los ojos y rezaba en la mesa antes de cenar. Compartir ese momento era algo muy especial."

"Me sentía querido cuando mis padres viajaban muchos kilómetros para verme jugar un partido de básquetbol con mis compañeros de secundaria. Significaba mucho para mí que hicieran ese esfuerzo para estar presentes."

2. BUSQUE MODELOS POSITIVOS

Además de sus padres, existen otras oportunidades para aprender qué contribuye a ser un buen progenitor. Cada año, se escriben docenas de libros y artículos acerca de cómo resolver conflictos, evitar problemas de comunicación y alentar el amor y la alegría en la familia. Además, también puede aprender de los mejores estilos parentales entre sus amigos y familiares.

Por ejemplo, como resultado de su educación, Roger había creído siempre que "cuando uno dice algo una vez y los chicos no escuchan, la próxima hay que empezar a gritar". Por eso, cuando sus hijastros no respondían con cooperación a uno de sus pedidos, Roger tendía a ponerse furioso y hostil para "demostrarles quién manda".

Durante un fin de semana de campamento con amigos íntimos, Roger observó en repetidas oportunidades que sus amigos se esforzaban por explicar pacientemente a sus hijos lo que deseaban, una, dos, tres y hasta cuatro veces si era necesario. Encontraban la manera de hacer entender sus preferencias para que sus hijos adolescentes entendieran y cooperaran. Roger advirtió que, de hecho, esto se lograba en menos tiempo que gritando. Más tarde, describió el cambio en su conducta como resultado de esa experiencia: "No necesito estallar y provocar a los chicos a que se rebelen y me desafíen. En lugar de ser el malo de la película todo el tiempo, estoy empezando a comunicarme con ellos de una manera que ellos aceptan".

3. REUNIONES FAMILIARES SEMANALES

Dirigir una familia es, en cierto modo, como dirigir un negocio. Si los integrantes no se reúnen con regularidad, sobreviene el caos. Con demasiada frecuencia, estas reuniones obedecen a conflictos que resultan de esta falta de comunicación. Para que una familia o empresa funcione con eficacia, es importante que se efectúen reuniones semanales. En vez de centrarse en una crisis, estos encuentros pueden *concentrarse en aquello que los individuos están haciendo bien*, en reexaminar las necesidades de cada persona y prevenir problemas innecesarios.

Sugerí a Roger que comenzara la primera reunión familiar describiendo el propósito de la misma. Dirigiéndose a ambos muchachos, Roger expuso con afecto: "La realidad es que, inicialmente, nosotros no pedimos estar juntos. Yo no los elegí a ustedes ni ustedes a mí. Como yo amaba a su madre y ustedes eran sus hijos, la vida nos unió. Habríamos hecho bien en reconocer eso desde un principio para luego empezar a funcionar como una familia. Me gustaría saber qué sienten con respecto al hecho de que vivamos juntos... En lugar de dificultarnos la vida, veamos cómo cada uno puede comenzar a hacerla más satisfactoria para todos."

Para ayudar a Roger y a sus hijastros, aconsejé el siguiente ejercicio para mejorar la cooperación en cualquier familia. Cada uno de nosotros tiene preferencias acerca de cómo deseamos que otros nos hablen para obtener nuestra cooperación. Si nos la piden de una forma, la brindamos con gusto. Si lo hacen de otra, nos resistimos o rebelamos. Cada persona debe describir las palabras y acciones que la impulsan a desear cooperar y aquellas que la inducen a rebelarse. Por ejemplo, Roger comenzó diciendo:

"Me dan ganas de cooperar cuando Eileen o cualquier otra persona me pide algo con voz amable y espera para saber si tengo alguna objeción."

"Siento deseos de rebelarme cuando alguien empieza culpándome por algo y me hace sentir que he hecho algo mal."

El hijo mayor de Eileen declaró lo siguiente:

"Tengo ganas de cooperar cuando no tengo la impresión de que están tratando de dominarme."

"Me rebela cuando siento que alguien está actuando de forma altanera o no le importan mis sentimientos."

En ese primer encuentro, Roger manifestó que sería más afectuoso y menos irascible con los chicos. También les pidió que cuando alguna de sus acciones los irritara, se lo dijeran directamente en vez de lamentarse por detrás a Eileen o hacer cosas indirectas para vengarse de él. La reunión fue muy positiva y concluyó con un intercambio de abrazos.

Aun cuando expliqué a Roger y a Eileen que no debían esperar cambios de la noche a la mañana, sugerí que "cuanto antes pongan en práctica principios que sean justos para todos, antes cooperarán sus hijos. Además de ser más empáticos en relación a las necesidades de ellos, también deben ser más específicos en cuanto a qué compromisos están dispuestos a asumir ustedes y sus hijos para lograr una vida familiar más feliz y placentera".

En la segunda reunión, Roger, Eileen y sus dos hijos redactaron una lista de tareas y responsabilidades que cada uno estaba dispuesto a asumir. A partir de entonces, cada reunión familiar semanal comenzaba con un debate sobre "Los compromisos que cumplí esta semana son...", "Los compromisos que no cumplí esta semana son ..." y "Los cambios que estoy efectuando para poder llevar a cabo todos mis compromisos de la semana siguiente son..."

En todos los encuentros semanales, cada uno expresaba dos cosas que había valorado de los demás integrantes durante la semana transcurrida. Esto ayudó de manera muy específica a mantener un ambiente afectuoso y estimulante. Aunque de todos modos surgieron conflictos ocasionales, el nivel de confianza y afecto creció.

Contribuya al mundo

Ser su propio mejor progenitor no constituye una meta final sino un nuevo comienzo. Usted podrá vivir su vida con más paz interior en vez de ser controlado por conflictos no resueltos de su infancia. Asumir el mando de su vida le proporcionará más energía y vitalidad para expresar sus propios talentos con más eficacia.

El caso de Diane ilustra cómo convertirse en su propio mejor progenitor resulta un elemento clave para alcanzar sus objetivos y disfrutar de la vida. Diane, una madre divorciada de cuarenta y dos años, recurrió a la psicoterapia debido a problemas con su madre y con Alison, su rebelde hija de quince años. Además, Diane se reconocía "estancada en un empleo sin futuro y todavía esperando que aparezca un Príncipe Encantado que transforme mi vida".

Diane se sentía resentida y poco valorada. "Hago un esfuerzo supremo por cuidar de mi madre y ella encima dice que no es suficiente. Con los hombres que me atraen, me desespero por hacerlos felices para que deseen estar conmigo. Sin embargo, cuanto más hago por ellos, menos hacen ellos por mí. Con mi hija es el mismo problema. No tiene iniciativa; tengo que pisarle los talones para que haga los deberes."

Como expliqué a Diane: "*A menudo, la forma en que nos tratan nuestros seres queridos es un reflejo del modo en que nos tratamos a nosotros mismos.* El punto no es si ellos la valoran sino si usted ha aprendido a valorarse. ¿Escoge usted la satisfacción o permanece crónicamente insatisfecha con su vida a la espera de que el Príncipe Encantado advierta su situación y venga en su rescate? En lugar de inculpar a su madre, su hija o un amante por no apreciarla en su justo valor, ya es hora de que se haga cargo de su vida y elija sentirse satisfecha sin esperar que otro lo haga por usted."

Dije a Diane que no soy un psiquiatra* "reducidor" sino "expandidor". La verdadera felicidad en la vida proviene de escoger la satisfacción y aprender a servir a otros. Para ayudar a Diane a dar el primer paso, le aconsejé lo siguiente: "Durante la próxima semana, busque una forma de ser útil a otros sin sentirse agobiada, desvalorizada o resentida. Elija un problema local y de nivel humano, fíjese objetivos específicos y ponga toda su energía a prueba. La idea es reducir sus problemas expandiendo sus capacidades."

Una semana después, Diane se presentó con la siguiente propuesta: "Amo las mascotas y los niños pequeños. Creo que los niños atrasados mentales se beneficiarían muchísimo si yo los visitara en una camioneta cerrada llena de animalitos y les permitiera interactuar con ellos. Si pueden querer y abrazar a un animalito, desarrollarán más autoestima y una mayor conciencia física." Durante los seis meses siguientes, Diane trabajó en su tiempo libre convir-

---

* Juego de palabras. El verbo "shrink": reducir, encoger, acortar, etc., se utiliza en la jerga inglesa para denominar a un psiquiatra. (*N. de la T.*)

tiendo su idea en una empresa exitosa que pronto cautivó los corazones de cientos de niños atrasados y mereció la aceptación de docenas de administradores escolares.

Como describió Diane con orgullo: "Reuní veinticinco mil dólares en un evento a beneficio, y una compañía de alimentos para mascotas quiere que me dedique exclusivamente a esto. Cuanta más confianza me tengo para hacer cosas que significan algo para mí, más aprendo a enfrentarme con eficacia a los demás desafíos en mi vida. Ahora que me valoro más, parecería que he dejado de atraer a hombres egoístas y superficiales. Además, mi hija Alison se ha vuelto más servicial y autosuficiente.

"En cuanto a mi madre, advertí un gran cambio en mis sentimientos hacia ella el mes pasado en ocasión de su cumpleaños. Durante años, solía pasar mucho tiempo en la tienda de regalos buscando la tarjeta de cumpleaños 'adecuada". Si era demasiado florida o cariñosa, sabía que no podía comprársela. Si la tarjeta decía 'Te quiero, mamá', mi resentimiento me impedía elegirla. Me ufanaba en encontrar una simple y poco emotiva que sólo dijera 'Feliz Cumpleaños', que no me obligara a mentir acerca de mi ambivalencia.

"Desde que elaboré mis resentimientos e hice las paces con mi progenitor interno, mi madre me resulta diferente. Desde luego, todavía me hace reclamos, pero ésa es sólo su manera de expresarme su amor. Ahora puedo recibir sus consejos sin sentir que debo acatarlos. Sé cuándo decir 'no' si es necesario y disfruto diciendo 'sí' cuando ambas desea-

276

mos reunirnos. Ella está muy entusiasmada con mi trabajo y es la primera en alentarme. Juntas estamos tratando de aumentar el número de visitas a los niños atrasados.

"Esta vez no tuve que enviarle la tarjeta de cumpleaños menos afectuosa y más cauta que pude encontrar. En cambio, decidí confeccionar mi propia tarjeta para trasmitirle mis verdaderos sentimientos. Pasé toda una mañana de domingo diseñando la tarjeta más hermosa que jamás imaginé. Adjunté algunas fotografías conmovedoras en las que aparecíamos juntas a lo largo de los años. Dentro de la tarjeta, escribí una nota especial:

"'¡Querida mamá: pienso que ya es hora de que te diga algunas de las cosas que valoro muchísimo de ti!'

"En mi lista, redacté una docena de reconocimientos específicos, incluyendo:

"'Me encanta que pases mucho tiempo con Alison. Ella se divierte contigo y aprende mucho de tus historias y los lugares que visitan juntas. Eres una abuela maravillosa.'

"'Te agradezco que creyeras en mí incluso si ni yo misma lo hacía, como cuando perdí mi empleo y me prestaste dinero.'

"'Te agradezco todas las veces que me preparaste comida casera muy especial. Cuando estaba enferma, tu sopa de gallina obraba milagros.'

"'Valoré en ti que cuando me estaba divorciando te mostraras triste pero no me juzgaras. No trataste de decirme qué hacer y me apoyaste como mejor pudiste'.

"'Siento que estamos conociéndonos no sólo como madre e hija sino como dos personas abiertas e interesadas la una por la otra. Compartir contigo mi proyecto de las mascotas me produce una gran alegría.'

"'Soy afortunada por haber tenido de chica una madre como tú, que me permitió convertirme en la persona feliz, cariñosa y exitosa como soy hoy. Te quiero y espero que podamos celebrar juntas muchos cumpleaños más.'"

Cuando usted se convierte en su propio mejor progenitor y se hace responsable de su propia felicidad, es más fácil sentirse bien con respecto a sus padres y expresar su amor por ellos. Reconocer todo lo que ellos le han aportado le permitirá apreciar mejor su interdependencia con cualquier otro ser humano. Todos somos padres e hijos. Hacer las paces con sus padres le ayudará a valorar su propia persona y la unicidad de su crianza y su medio familiar.

Cuanto más analice y utilice las estrategias y técnicas que figuran en este libro, más probable será que obtenga un beneficio significativo. El compromiso intenso con su propia transformación personal lo enfrentará a un profundo deseo de hacer del mundo un mejor sitio donde vivir. Cuanto más experimente su poder personal, menos indefenso se sentirá para confrontar los problemas humanos. Su empatía se expandirá hasta abarcar el sufrimiento de aquellos azotados por el hambre, la guerra, la pobreza y la discriminación. Ya no considerará eso como un "problema de otros" ni como un asunto que deba ser resuelto por "expertos". Asumir el mando de su vida significa liberar su propio poder creativo para contribuir al mundo. *Hacer las paces con nuestros padres es parte esencial de la experiencia humana: una aventura del corazón, amar y ser amados. Debemos hacer las paces con nosotros mismos y con nuestras familias si es que deseamos concretar nuestro anhelo de vivir en un mundo de paz.*

ÍNDICE